TOUT
SUR LES
DRAGONS
— POUR LES ENFANTS —

LIVRE D'ÉNIGMES ET D'ACTIVITÉS

Des jeux tout feu
tout flamme que tous
les enfants aimeront

Scot Ritchie

ADA
jeunesse

Copyright © 2008 F + W Publications, Inc.
Titre original anglais : The everything kids dragons puzzle and activity book
Copyright © 2009 Éditions AdA Inc. pour la traduction française
Cette publication est publiée en accord avec Adams Media, Avon, MA

Éditeur : François Doucet
Traduction : Roxanne Berthold
Révision linguistique : Isabelle Veillette
Révision : Nancy Coulombe, Anne-Christine Normand, Carine Paradis
Illustrations de la couverture : Dana Regan
Illustrations de l'intérieur : Kurt Dolber
Montage de la couverture et mise en pages : Sylvie Valois, Matthieu Fortin
ISBN : 978-2-89565-918-1
Première impression : 2009
Dépôt légal : 2009
Bibliothèque et Archives nationales du Québec
Bibliothèque Nationale du Canada

Éditions AdA Inc.
1385, boul. Lionel-Boulet
Varennes, Québec, Canada, J3X 1P7
Téléphone : 450-929-0296
Télécopieur : 450-929-0220
www.ada-inc.com
info@ada-inc.com

Diffusion
Canada :   Éditions AdA Inc.
France :   D.G. Diffusion
                Z.I. des Bogues
                31750 Escalquens — France
                Téléphone : 05.61.00.09.99
Suisse :   Transat — 23.42.77.40
Belgique :   D.G. Diffusion — 05.61.00.09.99

Imprimé au Canada $\mathcal{S}$OD$\not{E}$C

Participation de la SODEC.
Nous reconnaissons l'aide financière du gouvernement du Canada par l'entremise du Programme d'aide au développement
de l'industrie de l'édition (PADIÉ) pour nos activités d'édition.
Gouvernement du Québec — Programme de crédit d'impôt pour l'édition de livres — Gestion SODEC.

Catalogage avant publication de Bibliothèque et Archives nationales du Québec et Bibliothèque et Archives Canada

Ritchie, Scot

      Tout sur les dragons
      Traduction de : The everything kids' dragons puzzle and activity book.
      Pour enfants de 8 ans et plus.
      ISBN 978-2-89565-918-1

      1. Jeux intellectuels - Ouvrages pour la jeunesse. 2. Dragons - Miscellanées - Ouvrages pour la jeunesse. I. Titre.

GV1493.R5714 2009   j793.73   C2009-941380-9

TABLE DES MATIÈRES

INTRODUCTION

Les dragons peuplent l'histoire depuis des milliers d'années. Leur légende émane de la Grèce, de l'Allemagne, de l'Angleterre, de la Norvège, du Japon, de la Chine, de l'Indonésie et de bien d'autres pays. Tout ça suffirait à nous faire croire qu'ils ont réellement existé. Nous n'avons aucune preuve de leur existence (aucuns ossements ou fossiles n'ont été retrouvés), mais à une époque, les explorateurs y croyaient. Au retour de leurs voyages, ils racontaient des histoires de tombeaux de dragon et de monstres des mers. En regardant des cartes anciennes, tu remarqueras souvent la présence de dragons aux bordures. Il s'agissait d'un moyen d'illustrer des endroits trop dangereux pour l'exploration. Souvent, les créatures que les explorateurs observaient étaient en fait des crocodiles ou des éléphants. Mais comme ils n'avaient jamais aperçu ces animaux auparavant, il est facile de comprendre comment ils ont pu se tromper. Si tu tombais sur un grand serpent ou un dragon de Komodo dans le noir, tu pourrais, toi aussi, croire qu'il s'agit d'un dragon magique.

Le mot « dragon » provient du mot latin « *draco* ». Ce mot a plus d'une signification. Celle portant sur le dragon fait référence à une constellation d'étoiles dans le ciel du nord. Je suis certain que si tu regardais les étoiles la nuit, tu pourrais apercevoir des dragons dans le ciel.

Les dragons étaient considérés comme étant les bêtes les plus effrayantes au monde. Ils possédaient de longues griffes affilées, des crocs aussi tranchants que des rasoirs, et un grand nombre d'entre eux pouvaient voler. Et comme si ce n'était pas assez, ils crachaient du feu. Voilà qui suffit à capter l'attention des gens… s'ils ne sont pas trop occupés à courir à toutes jambes en hurlant de peur! Lorsqu'une créature peut cracher du feu, s'en tenir loin n'est pas bête.

D'ailleurs, il est important de souligner que les dragons étaient très solitaires. Et maintenant, nous savons pourquoi!

Aux yeux des Européens, les dragons étaient des créatures sales et méchantes, qui vivaient dans des grottes sombres et humides, entourées des restants de leurs diners. Imagine l'odeur : beuuuurk !

En Asie, la réalité était très différente : les dragons étaient civilisés et propres. La majorité d'entre eux habitaient dans les cieux, dans les océans ou dans les rivières. Il va sans dire qu'ils étaient plus populaires auprès des Asiatiques. En fait, ils étaient perçus comme un signe de chance ou de bravoure.

Les dragons étaient de toutes les tailles et de toutes les formes, de gigantesques à minuscules. En Russie, certains dragons étaient si grands que leurs ailes déployées pouvaient obscurcir le ciel. Au Japon, certains étaient si petits qu'ils pouvaient se glisser à l'intérieur d'une goutte de pluie.

Parfois, les dragons se donnaient rendez-vous (car avec qui d'autres auraient-ils pu être amis ?), mais leur rencontre ne durait jamais très longtemps. Ils se rencontraient surtout pour se vanter de la force de leur feu et pour organiser des concours de crachat de feu, qui se concluaient souvent par un village emporté par les flammes ! Tu comprends maintenant pourquoi personne ne voulait avoir de dragon aux alentours.

Les dragons semblaient avoir un certain attrait pour la royauté — qu'il s'agisse de manger les membres de la cour ou de voler leurs précieux bijoux. De nombreuses histoires de dragons impliquent un brave chevalier cavalant à la rescousse d'une princesse. S'il accomplissait sa mission, il pouvait l'épouser. Sinon, disons qu'il était cuit, dans tous les sens du terme. Dans les contes modernes, les rôles sont inversés, et les filles portent secours aux

   V

garçons (les filles sont tout aussi braves que les garçons — il leur suffit d'avoir la bonne motivation).

Nous devons remercier les dragons pour les belles histoires et aventures qu'ils nous ont fait connaître. Et comme il semblerait qu'à notre époque, ils aient décidé de garder leurs distances, voilà une autre raison de leur témoigner notre reconnaissance !

Alors, si tu te sens assez courageux, saisis ton bouclier et ton crayon, et suivons ensemble la piste des dragons !

CHAPITRE 1
DRAGONOLOGIE : L'HISTOIRE DES DRAGONS

L'HORRIBLE HYDRA

Hydra était un terrifiant monstre à têtes multiples. Le nombre de ses têtes pouvait aller de cinq à cent. Sa mission : garder la frontière du monde souterrain (soit le lieu de repos des âmes mortes). Peux-tu dessiner les têtes manquantes ? Nous en avons tracé une pour t'aider. À quoi ressemblait-il, selon toi ?

Que dois-tu dire quand tu rencontres un dragon à cinq têtes ?

Allô, allô, allô, allô, allô !

SAINT GEORGES, LE GENTILHOMME

Il était une fois, un dragon qui terrorisait les habitants d'un petit village. Saint Georges a appris que les villageois s'apprêtaient à lui offrir une princesse en échange de la survie de leur village. Comme Saint Georges était gentil, il lui sembla injuste de sacrifier la princesse, alors il décida de tuer le dragon. Cette merveilleuse histoire se raconte depuis des siècles. Seul bémol : elle s'est déroulée au douzième siècle, bien après la mort de Saint Georges.

Peux-tu aider Georges à traverser le labyrinthe afin de secourir les villageois ?

OMBRES DE DRAGON

Certains de ces dragons ont une ombre ayant un drôle d'aspect. Peux-tu trouver l'ombre qui correspond bien à son dragon ?

L'ANNEAU DU NIBELUNG

Les dragons ont fait leur apparition au cinéma, dans les contes et dans les opéras. Il existe même un opéra intitulé *L'Anneau du Nibelung*, qui met en vedette un dragon appelé Fafnir. Il était le fils du roi nain, Hreidmar. Fafnir s'est transformé en dragon lorsqu'il a réalisé qu'il s'agissait du seul moyen d'obtenir l'or légué à son frère. Voilà qui explique la mauvaise réputation des dragons !

Quel son produisent les dragons cracheurs de feu lorsqu'ils s'embrassent ?

Aïe !

MORDRE SA QUEUE

Dans la mythologie scandinave, le Jormungand est un monstre tellement dangereux qu'on l'a jeté dans la mer pour protéger l'humanité. Et c'est un dragon GIGANTESQUE — il entoure la Terre et peut attraper sa queue par sa bouche. Lors de la destruction de l'Univers, Jormungand et Thor (le dieu du tonnerre) s'affronteront dans un combat mortel. Toute une bataille en perspective !

Jormungand semble avoir un faible pour les cercles. Combien en comptes-tu ?

DES ÉLÉPHANTS AU MENU

En Éthiopie, on croyait que des dragons géants peuplaient l'océan et rejoignaient la terre ferme pour chasser l'éléphant. Lorsque leur réserve de nourriture diminuait, ils se déplaçaient alors vers de nouveaux terrains de chasse. La chasse elle-même se faisait avec classe : quatre ou cinq dragons s'entremêlaient telle une corde, sortaient leurs têtes de l'eau et mettaient le cap vers de nouvelles contrées.

Ces dragons causent tout un dégât. Peux-tu voir six choses qui ne sont pas à leur place ?

Dragon malchanceux

Dracontias est le nom donné à une pierre provenant du cerveau d'un dragon. Elle apporterait la santé et la prospérité. Le seul problème est qu'il faut l'obtenir d'un dragon vivant.

BEOWULF CONTRE LE DRAGON

Beowulf raconte l'histoire d'un guerrier scandinave et d'un dragon ayant vécu au dixième siècle avant notre ère. Il s'agit de l'aventure épique la plus ancienne de la littérature britannique. Il n'existe plus qu'un seul manuscrit de cette histoire aujourd'hui.

Ramper comme un ver

En vieil anglais, le nom donné aux dragons était *Wyrm*, qui se traduit par «ver de terre».

7

SMAUG

Smaug est le nom d'un dragon du livre *Bilbo le Hobbit* de J. R. R. Tolkien. À l'instar de nombreux dragons, Smaug aimait amasser des bijoux. Son ventre était recouvert de pièces précieuses : il était donc difficile de le tuer. (Habituellement, le ventre était le point sensible des dragons.) Cependant, Smaug avait un autre point vulnérable. Déchiffre le code suivant pour le découvrir.

L'ARBRE DE LA VIE

Nidhogg, alias «le déchiqueteur de corps», est un dragon provenant de la mythologie scandinave. Lorsqu'il ne dévorait pas des corps, il mâchouillait les racines de l'arbre de la vie : un arbre qui, selon la légende, était lié à toutes les parties du monde et les protégeait. Sans racines, aucun arbre ne peut tenir droit. Dans le vocabulaire, il existe aussi des mots qui ont besoin de deux «t» pour se tenir droit.

Planter des racines

Savais-tu que tu peux faire pousser des plantes à la maison dans un simple bocal d'eau ? Il est préférable d'utiliser un bocal en verre. Les plantes les plus appropriées sont le papyrus à feuilles alternes, l'aglaonéma, la sagittaire et la fausse vigne.

À la récréation, je fais des pi_ _ _ _ tt_ _.

Les lapins mangent des c_ _ _ tt_ _.

Grand-papa doit porter des l _ _ _ tt_ _.

Mon petit frère porte une sal_ _ _ tt_.

Un magicien a besoin de sa b_ _ _ _ tt_ magique.

Les dragons aiment dormir dans une g_ _ tt_.

Je ne veux pas jouer de la flûte, donne-moi plutôt une tr_ _ _ _ tt_.

Maman m'a amené au théâtre des m_ _ _ _ _ nett_ _.

Il fait froid, je vais enfiler mes ch_ _ _ _ _ tt_ _.

Le dragon est triste : il n'est pas dans son a _ _ _ _ tt_.

HABITANTS HORRIFIÉS

Ces villageois étaient si terrifiés qu'ils se sont réunis afin de tuer le dragon qui terrorisait leur village. Avant qu'ils puissent célébrer leur victoire, ils ont réalisé que ce dragon avait la capacité de rassembler les parties de son corps et de revenir à la vie. Peux-tu remettre ses parties ensemble pour voir à quoi il ressemble ?

Que faire quand un dragon éternue ?
S'enlever du chemin !

10

MAUX DE TÊTES

Ce dragon à trois têtes garde l'entrée du palais d'un méchant roi. Peux-tu aider le brave chevalier (un peu confus) à trouver son chemin?

L'étude des dragons s'appelle la *dragonologie*.

SORTIE

ENTRÉE

CALCUL EXACT

Les gens nés durant l'année du dragon sont considérés comme étant vifs, puissants et chanceux. L'an 2000 était une année du dragon. Combien de 2000 se cachent dans le dragon?

Douze animaux

L'astrologie chinoise comprend douze animaux : rat, tigre, dragon, cheval, singe, chien, buffle, lièvre, serpent, mouton, coq et cochon.

LA CRINIÈRE DU MISSISSIPPI

Les berges du fleuve Mississippi, en Amérique du Nord, abritaient un dragon. Après avoir été terrorisés par l'affreux dragon pendant des années, les membres de la tribu des Illinis ont saisi leurs armes et suivi les traces du monstre jusqu'à sa grotte. Ils l'ont ensuite attiré à l'extérieur pour le tuer. Il suffit d'observer les traces ci-dessous pour constater que le dragon était énorme! Mais quelque chose cloche dans l'image. Vois-tu la trace qui n'est pas à sa place?

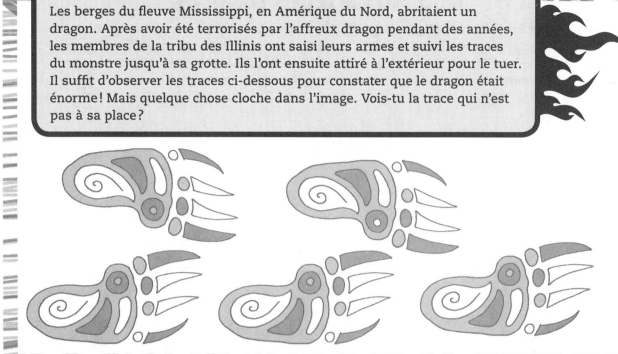

L'HORRIFIANT DRAGON HÉRALDIQUE

Avec sa queue hérissée, son nez pointu et son dos recouvert d'épines, le dragon héraldique était l'un des dragons les plus terrifiants jamais aperçus. Apparemment, on pouvait deviner l'âge de ce dragon en comptant le nombre d'épines sur son dos. Quel âge a ce dragon?

Chaque épine représente dix années.

DES MOTS DANS LE CIEL

Le 30 novembre de l'an 1222, des dragons ont été aperçus traversant le ciel de la ville de Londres. Certaines personnes ont cru qu'ils étaient la cause de l'orage et des terribles inondations qui ont suivi. Le dragon ci-dessous semble vouloir aider les habitants de la ville. Peux-tu déchiffrer le message inscrit dans les nuages? Sois attentif, car le vent a déplacé les lettres!

Toc toc! Qui est là? Le drap. Le drap qui? Le dragon!

NOBLE COURAGE

Les dragons sont craints en Occident, mais en Chine, ils représentent la bravoure et l'héroïsme. Les Chinois voyaient en eux la combinaison de neuf animaux : le cerf (bois), le chameau (tête), le diable (les yeux), le serpent (le cou), la coque (l'abdomen), la carpe (les écailles), l'aigle (les griffes), le tigre (les pattes) et le bœuf (les oreilles).

ANIMAL IMAGINAIRE

Cinq animaux ont été rassemblés pour inventer cette créature imaginaire. Peux-tu associer le nom de chaque animal à la partie du corps qui lui appartient?

CANARD

AIGLE

CHEVAL

POISSON

TAUREAU

NUMÉROS SCANDINAVES

La majorité du temps, ces cracheurs de feu préféraient la solitude ; pourtant, cette grotte est remplie de dragons. Combien en comptes-tu ?

Quelle heure est-il quand tu aperçois un dragon portant la robe de ta mère pour préparer ton petit déjeuner ?

Le temps de se lever et d'aller à l'école !

UN CHIEN DE GARDE GREC

Dans la Grèce antique, les dragons servaient à garder les entrées. La majorité des gens y réfléchiraient à deux fois avant de tenter de contourner ce dragon. Il semble d'ailleurs avoir fait plus que garder l'entrée. Peux-tu trouver tous les objets qu'il a amassés dans sa grotte?

Une pelle, un bouquet de fleurs et une ceinture
Deux plumes, deux crânes, deux miroirs et deux sacs à main
Trois boucliers, trois casques et trois épées
Quatre ballons, quatre gants, quatre cuillères,
quatre chandails et quatre foulards

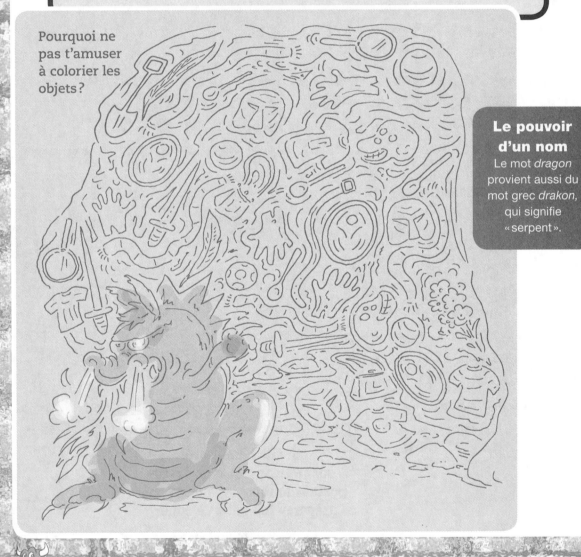

Pourquoi ne pas t'amuser à colorier les objets?

Le pouvoir d'un nom
Le mot *dragon* provient aussi du mot grec *drakon*, qui signifie «serpent».

UN CHEVAL DANS LE VENTRE

La Perse antique (où se situe maintenant l'Iran) avait son lot de dragons vicieux et, surtout, affamés. Selon une histoire, le roi Ardashir cavalait dans les montagnes de la Perse sur le dos de son cheval, lorsqu'un dragon les a avalés tout rond ! Le dragon était si rapide que ni le roi ni le cheval n'ont même eu le temps de tenter de fuir.

Voici un jeu amusant pour tester ta rapidité. Trouve une autre façon de dire les mots inscrits en italique ci-dessous. Les deux mots à deviner dans chaque phrase se prononcent de la même façon, mais ne signifient pas la même chose.

Il y a un *lombric* dans mon *gobelet*.

_____

Ma *maman* se baigne dans l'*océan*.

_____

J'ai fait un *bond* près du *récipient*.

_____

J'ai fixé le *collet* de ma chemise avec de la *glu*.

_____

LE CRISTAL DES CHEROKEES

En Amérique du Nord, le peuple cherokee faisait face à son propre monstre : l'uk'ten, qui pouvait voler et cracher le feu. Les bois sur sa tête et le cristal géant au milieu de son front faisaient de lui une créature unique. Un seul de ses regards pouvait causer la mort, et il savait parler la langue des peuples qui l'entouraient. Mais quelle est la langue parlée par ce dragon ? Petit conseil : en déplaçant une lettre dans chaque mot, la réponse apparaîtra.

EN EM ÂCHEF ASP, INONS, EJ ÉTRUIRAID ONT ILLAGEV !

TOUS POUR UN

À l'époque byzantine, les dragons étaient souvent dessinés en train d'avaler leur queue et accompagnés de la phrase «Tous pour un». Ce principe s'apparente à la philosophie chinoise du yin et du yang. Il représente l'équilibre. Cependant, un des dragons suivants manque un peu d'équilibre. Peux-tu trouver celui qui possède un nombre pair de barres blanches, mais un nombre impair de points blancs?

À L'INTÉRIEUR DU DRAGON
Sais-tu ce que ces mots ont en commun? Grand, rang, rond, nord et gond

LES PIERRES DE RUSSIE

Alicha était l'un des dragons les plus terribles de la Russie. On croyait que ses ailes noires étaient assez grandes pour couvrir le ciel. D'après la légende, il aurait tenté d'avaler le Soleil et la Lune, sans succès. Toutefois, il a laissé la marque de ses dents sur la Lune, marques sombres que l'on aperçoit toujours aujourd'hui. Les habitants de la Russie avaient l'habitude de lancer des pierres lors des éclipses afin de chasser Alicha.

ORAAKHK
LKLKAHA
KLLAHA
CLAHIHA
IAHCLA
RAAKHO
OHKORAA
CLALIHA
HAAKLLA

ALKLHA ET ARAKHO

On appelait aussi Alicha par ces deux noms. Peu importe son nom, les villageois ne souhaitent qu'une chose : s'enfuir. Mais la seule fuite possible est de suivre le chemin qui contient les bonnes lettres de chaque nom. Il n'existe qu'un bon chemin pour chaque nom.

UN MONSTRE MEXICAIN

Il existe un type de dragons dénué de bras et de jambes, mais doté d'ailes et de dents menaçantes. L'exemple le plus connu est le quetzalcoatl. De nombreuses personnes pensent que ce dragon doit son nom à celui d'un oiseau qui peuple le Mexique, le quetzal. Tous deux ont un plumage vert et brillent durant leur vol.

Ce dragon a amassé beaucoup de sous.

Quel sou apparaît le plus souvent ? _____

Quel sou n'apparaît qu'une seule fois ? _____

Combien de sous différents vois-tu ? _____

Sur combien d'entre eux figure une tête ? _____

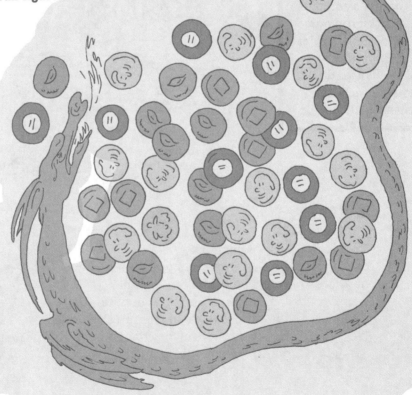

Les œufs de dragon sont habituellement de la même couleur que la peau de la maman dragon.

DIS ALLÔ AU DRAGON DE KOMODO !

L'Indonésie est le seul pays au monde où il est possible de voir un vrai dragon. Ce dragon-là ne souffle pas de feu et ne peut pas voler, mais il possède des dents bien affilées. Il peut avaler un repas équivalant jusqu'à 80 % de son poids. Ses ancêtres habitaient l'île de Komodo il y a environ 50 millions d'années.

KOMODOKOMODO

Combien de fois peux-tu lire le mot « Komodo » ci-dessous ? Tu peux en faire la lecture vers l'avant, vers l'arrière, vers le haut et vers le bas, mais non en diagonale.

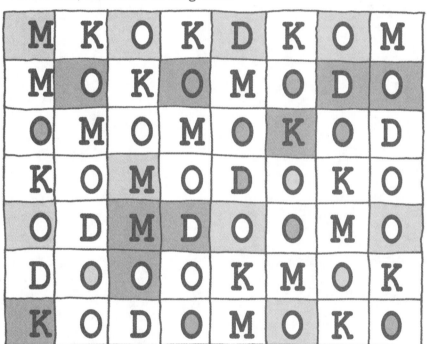

M	K	O	K	D	K	O	M
M	O	K	O	M	O	D	O
O	M	O	M	O	K	O	D
K	O	M	O	D	O	K	O
O	D	M	D	O	O	M	
D	O	O	K	M	O	K	
K	O	D	O	M	O	K	O

La devinette du dragon
Qu'est-ce qui est aussi grand qu'un dragon, mais ne pèse rien du tout ?

Son ombre.

LE DOIGTÉ DU DRAGON

Les dragons sont bien ancrés dans l'histoire du Japon, et ce, même à notre époque moderne. On les voit partout, des séries d'animation jusqu'aux jeux vidéo. Mais comment différencier les dragons japonais des autres dragons ? Il suffit de compter leurs griffes : les dragons japonais n'en ont que trois alors que les autres en comptent quatre. Certains ont des ailes alors que d'autres n'en ont pas. Combien de dragons japonais comptes-tu ci-dessous ?

Neuf vies

Certains habitants du Japon croyaient que les dragons donnaient naissance à neuf bébés, et que chacun d'entre eux avait une particularité. Par exemple : l'un était chanteur, l'autre était paresseux, ou un autre encore était brave.

LE DRAGON NAGA

En Inde, les dragons étaient connus sous le nom de naga. Ils étaient souvent illustrés avec un visage humain. En réalité, ils avaient la capacité de se transformer en humain. On les traitait avec beaucoup de respect, car ils dirigeaient la météo. Si on les mettait en colère, ils pouvaient causer des inondations ou des sécheresses.

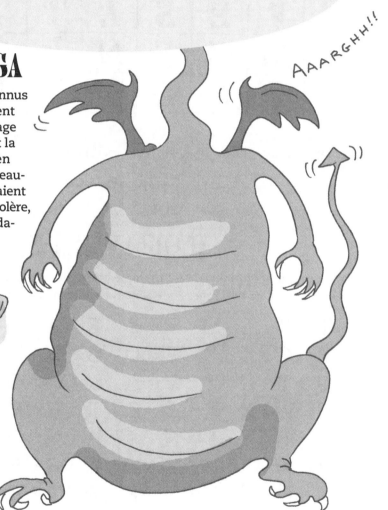

AAARGHH!!

Pourquoi le dragon a-t-il mangé une personne ?

Pour se doter d'une personnalité.

Les dragons africains sont énormes. On disait que leurs torsions et leurs tournants ont créé les vallées et les rivières, et que leurs excréments étaient à l'origine des montagnes et des collines. Certains dragons étaient tellement gigantesques qu'on les prenait pour des montagnes. Retire les S, les F et les L dans la grille pour déchiffrer le message laissé par ce dragon.

DES RIVIÈRES SERPENTINES

S	J'	L	F	A	I	F	C
O	F	N	Ç	U	L	S	C
F	E	S	L	T	T	E	F
M	O	F	N	L	T	S	A
F	F	S	G	N	F	L	E	S

D'ABRAXAS À ZU

Abraxas est un dragon tiré de la mythologie perse alors que Zu symbolisait le chaos dans la mythologie sumérienne. Pour découvrir le nom d'un autre dragon populaire :

E	T	L	L	M	P	S	E	A	A	U
B	F	G	C	E	E	D	G	H	R	J
K	Q	T	U	T	V	A	M	W	W	Y
A	C	W	X	X	I	D	E	H	H	U
W	N	F	E	E	H	A	A	M	Q	T
V	V	W	B	Z	Z	M	H	H	S	E
T	T	O	K	K	T	E	F	B	A	A
C	D	G	H	W	W	J	P	K	L	M

Dans la grille, rature toutes les lettres autres que celles-ci :

N, O, I, B, P, R et S

L'AMI DE LA PRINCESSE

Au lieu de dévorer la princesse, ce dragon est devenu son ami, ce qui la rend très heureuse. Ensemble, ils aiment aller à la plage pour recueillir des coquillages. Les coquillages se ressemblent tous, mais seuls deux d'entre eux sont identiques. Peux-tu les trouver?

Pourquoi le dragon a-t-il peint ses griffes de différentes couleurs ?

Afin de se cacher dans les jujubes.

SORCIER, SOIS SUR TES GARDES !

Ce sorcier sait où tout se trouve dans son atelier. Mais il vit une journée difficile et s'est tout embrouillé dans ses sortilèges. Il y a dix différences entre les deux images. Arriveras-tu à les découvrir ?

LA SORCIÈRE ENSORCELEUSE

Alors que cette sorcière jetait un sort, un dragon s'est interposé et a déchiré le papier sur lequel était inscrite la formule. Peux-tu rassembler les morceaux de papier pour révéler la formule?

te BRÛLERA !

t'assailliront m'écoute pas, dragon te

si tu ne Druide le survolera et

zigzags ombrages ! et les peurs

Soupirs et butins et La peur

Le patient : Docteur, docteur, je vois un dragon à pois mauves !

Le docteur : Avez-vous vu un oculiste ?

SALUONS LA SIRÈNE

Certaines histoires relatent la rencontre de dragons et de sirènes. Il faut dire que les deux aiment vivre dans des cavernes et partagent le même amour des objets brillants. Peux-tu démêler les lettres pour voir les pierres précieuses amassées par le dragon? Ensuite, remets en ordre les lettres en gras pour découvrir sa pierre préférée.

bruis _ _ _ _ _

adinmat _ _ (_) _ _ _ _

rgneat (_) _ _ _ _ _

méeraued _ _ _ _ _ (_) _ _ _

aphsir _ _ _ _ _ _

éamsthyet _ _ _ _ (_) _ _ _ _

oeapl _ _ _ (_) _

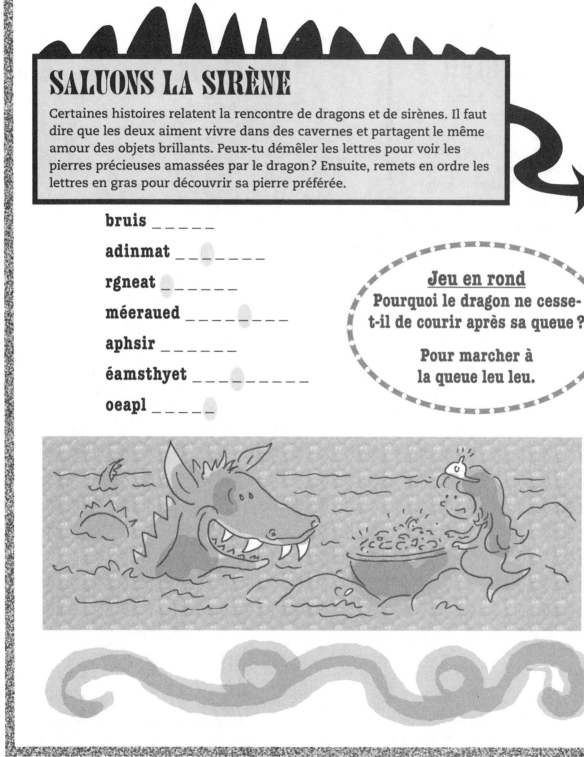

L'ARMURE DU CHEVALIER

Il semblerait que les chevaliers affrontaient des dragons tous les jours. En songeant à la différence de leur taille, on ne peut qu'applaudir le port de l'armure. Peux-tu trouver le chemin pour te rendre jusqu'au haut de l'armure?

FIN

DÉBUT

Couvert d'écailles

La majorité des dragons sont munis d'une protection qui pousse à même leur dos — des écailles!
Elles sont semblables à celles qui recouvrent les poissons, quoique beaucoup plus coriaces.

LA RONDE DES FÉES

La plupart des gens qui croyaient en l'existence des dragons croyaient aussi en celle des fées. Au début des années 1900, des gens ont pris des photos de supposées fées dansant dans le jardin. Arthur Conan Doyle (auteur des romans de la série *Sherlock Holmes*) était un fervent croyant. Il a même écrit un livre sur les fées. Les fées de cette page se ressemblent beaucoup, mais seules deux d'entre elles sont identiques. Les vois-tu ?

Que dit-on à un dragon en pleine forme ?

Tu pètes le feu !

GGGGRIFFONS

Tout comme les dragons, les griffons étaient de méchants monstres. Les gens étaient surpris par leurs grimaces effroyables. Rien de tel qu'un griffon pour nous effrayer au beau milieu de la nuit!

Pour découvrir le lieu de prédilection des griffons, dans la grille ci-dessous, raye toutes les lettres autres que T, I, O, R, U, E et S.

B	L	Z	A	T
O	W	Q	M	N
I	F	G	P	J
K	T	X	V	B
Q	Y	U	K	G
R	Z	B	N	C
W	A	Q	E	X
P	J	K	B	L
A	S	C	V	A

À VOL D'OISEAU

Relie les points pour voir où se posera l'oiseau.

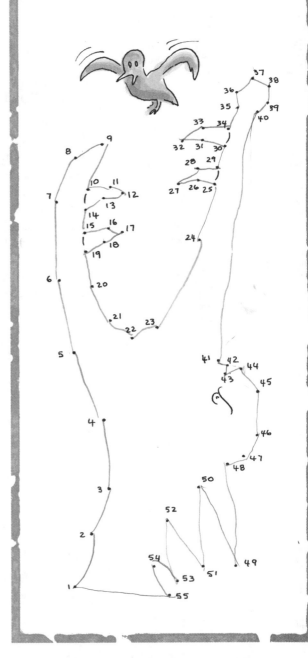

LA RANÇON DU ROI

Ce dragon a volé toutes sortes de bijoux au roi. Mais attention! Le roi a plus d'un tour dans son sac. Pour récupérer ses joyaux, il doit lire les lettres inscrites sur les pierres foncées et ignorer les autres. Il découvrira ainsi la formule magique. Peux-tu lui donner un coup de main?

UN FEU FLOTTANT

On dirait bien que ce dragon tente de joindre sa bande. Lequel d'entre eux ne cadre pas dans l'ensemble ?

LA CAPACITÉ D'ADAPTATION

En Asie, les dragons pouvaient se transformer en créatures aquatiques. Mais peux-tu deviner en quoi se transforment les mots suivants ? Amusons-nous avec les lettres pour le découvrir !

Retire les deux premières lettres de

et tu vis cette émotion quand quelque chose t'effraie.

Quand tu tu n'as pas de... (remplace une lettre pour trouver le mot).

Trouve la femelle de l'animal qui nous donne du

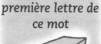

et tu obtiens l'animal qui nous donne du lait.

Change la première lettre de ce mot

et tu obtiens une histoire de La Fontaine.

Prends deux lettres du mot

et tu obtiendras un métal précieux.

FAIRE DES PIEDS ET DES MAINS

Les dragons frissonnent par temps froid, tout comme toi. Louis le dragon possède six paires de moufles et cinq chapeaux. Combien d'ensembles différents peut-il créer ?

LICORNE, OÙ ES-TU ?

De nombreuses personnes croyaient aussi fermement en l'existence des licornes qu'en celle des dragons. Les Grecs anciens étaient persuadés qu'elles vivaient en Inde. Peux-tu discerner la véritable licorne? Petit truc : les vraies licornes possèdent quatre caractéristiques principales : une corne, des sabots fendus, une queue de lion et une barbiche.

La corne de la licorne

À l'époque médiévale, les gens qui craignaient avoir été empoisonnés recherchaient un gobelet fabriqué à même une corne de licorne. On croyait que celui-ci permettait de neutraliser les poisons.

CHAPITRE 4
DU DRAGONNEAU AU VER DE TERRE

DANS LE VENTRE DU DRAGON

Comme les humains, les papas et les mamans dragons passaient eux aussi des heures à réfléchir au nom à donner à leur dragonneau. Peux-tu deviner la première lettre des noms suivants?

Le pouvoir d'un nom

Un des personnages d'Harry Potter se prénomme Drago. Connais-tu son nom de famille?

ABCDEFGHIJKLMNOPQRSTUVWXYZ

_aroline	_ulien	_élène	_ivianne
_icole	_uc	_atherine	_illiam
_abien	_éatrice	_idier	_sabelle
_uillaume	_aude	_ophie	_annick
_ose	_livier	_avier	_velyne
_acharie	_hilippe	_ristan	
_urélie	_uentin	_rsule	

GA GA

Ces deux dragonnets sont jumeaux, mais ils ne sont pas tout à fait identiques. Peux-tu trouver dix différences?

La couleur des écailles

Il est possible de savoir si un dragon est en santé en regardant ses écailles. S'il se porte bien, elles seront colorées et brillantes. Mais s'il est malade, elles seront grises et mates.

LES PREMIERS MOTS

Lorsqu'un dragonneau apprend à parler, sa maman doit parler en codes. Peux-tu déchiffrer son message?

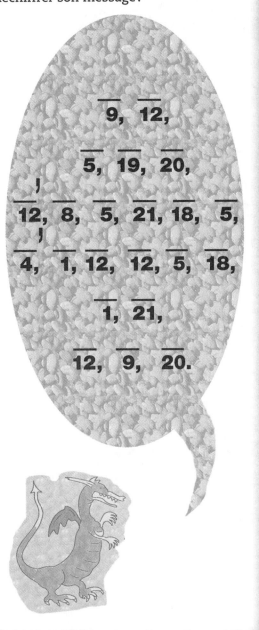

$\overline{9}, \overline{12},$

$\overline{5}, \overline{19}, \overline{20},$

$\overline{12}, \overline{8}, \overline{5}, \overline{21}, \overline{18}, \overline{5},$

$\overline{4}, \overline{1}, \overline{12}, \overline{12}, \overline{5}, \overline{18},$

$\overline{1}, \overline{21},$

$\overline{12}, \overline{9}, \overline{20}.$

FAIS ATTENTION, BÉBÉ !

Quelle est l'astuce la plus amusante qu'un dragon peut faire? Cracher du feu, bien entendu! Ce dragon semble avoir déjà causé pas mal de dommages. Combien de fois aperçois-tu du «feu»?

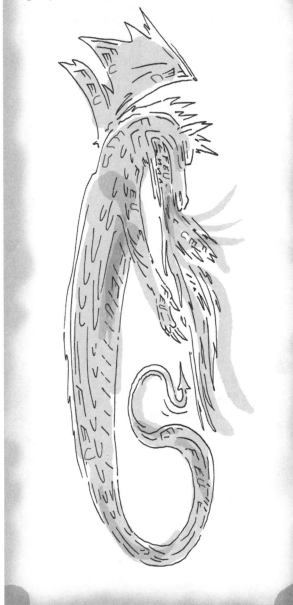

ALPHADRAGON

Ce dragon est en route vers l'école. Il vient tout juste d'apprendre à écrire et s'amuse à épeler le nom des objets sur la route. Peux-tu trouver le nom des objets et les épeler toi aussi?

Envole-toi!

Les ailes de dragon existent dans toutes les tailles. En fait, certains dragons de l'Asie pouvaient voler sans ailes. Ils faisaient appel à leurs pouvoirs magiques pour s'élever dans le ciel.

ADOLESCENT TURBULENT

Ce dragon ado à la dent sucrée aime jouer des tours aux villageois. Peux-tu lire son message ?

Voici un indice : Lis le texte en sautant une lettre sur deux, en commençant par la deuxième lettre. Ensuite, en commençant par la fin, lis les lettres que tu as sautées de droite à gauche.

TJAELSOACUOVHECRUA
DISTEONNNVOIDLELM
AUGTEI,S

Le gâteau du dragon

Aimes-tu le gâteau ? Demande à tes parents si tu peux décorer un gâteau afin qu'il ressemble à ton dragon favori ! Fais une recherche sur Internet pour trouver des idées de décorations.

JEUNES AMOUREUX

Cette dragonne adolescente admire son reflet dans le miroir. Elle a un rendez-vous galant ce soir et elle veut être la plus jolie. Elle teste différentes expressions. Peux-tu associer chaque émotion au visage correspondant?

SURPRISE · ENDORMIE · TRISTE
CONFUSE · FÂCHÉE

Pourquoi le dragon a-t-il traversé la route ?

Pour manger le poulet de l'autre côté !

AILES DE DRAGON

Certains dragons peuvent voler et ainsi survoler le monde. Cette dragonne tente d'atterrir, mais elle peut uniquement se poser sur les îles dont le total donne un nombre impair. Peux-tu lui donner un coup de pouce?

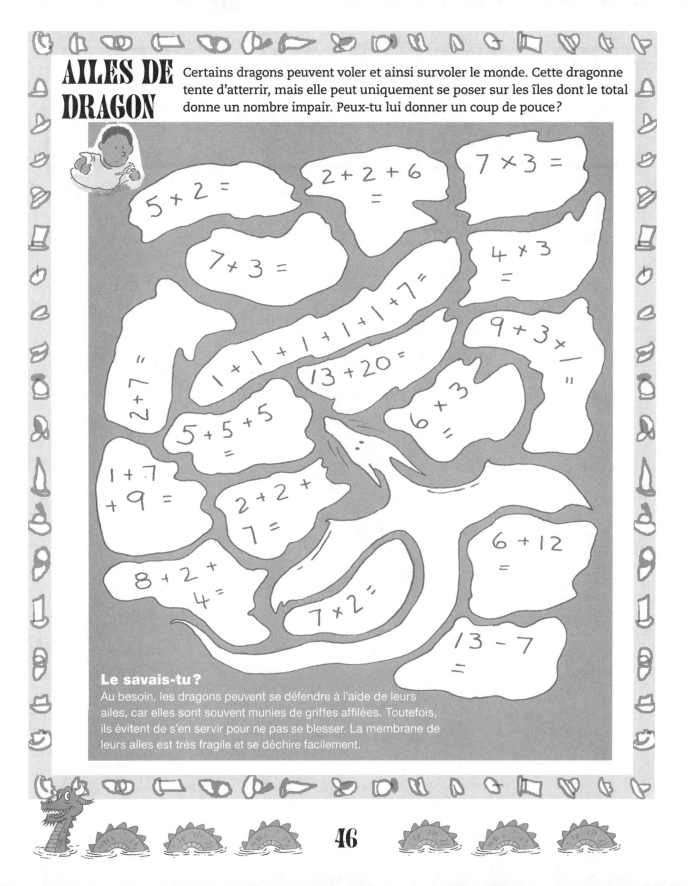

$5 \times 2 =$

$2 + 2 + 6 =$

$7 \times 3 =$

$7 + 3 =$

$4 \times 3 =$

$1 + 1 + 1 + 1 + 1 + 7 =$

$9 + 3 \times 1 =$

$2 + 7 =$

$13 + 20 =$

$6 \times 3 =$

$5 + 5 + 5 =$

$1 + 7 + 9 =$

$2 + 2 + 7 =$

$6 + 12 =$

$8 + 2 + 4 =$

$7 \times 2 =$

$13 - 7 =$

Le savais-tu?

Au besoin, les dragons peuvent se défendre à l'aide de leurs ailes, car elles sont souvent munies de griffes affilées. Toutefois, ils évitent de s'en servir pour ne pas se blesser. La membrane de leurs ailes est très fragile et se déchire facilement.

DESSINS DE DRAGONS

Voici un gros plan des pieds d'un dragon qui semble avoir perdu toutes ses écailles. Peux-tu l'aider à se protéger à nouveau? Attrape tes crayons et dessine!

Mini carapaces

Une des raisons qui expliquent la longévité des dragons était leur peau couverte d'écailles, à la manière d'une armure. Cependant, une partie de leur corps était vulnérable. Sais-tu laquelle?

   47

C'EST ÉCRIT DANS LE CIEL

Si ton anniversaire de naissance a lieu entre le 5 avril et le 4 mai, ton signe du zodiaque chinois est le dragon. Tu aimes faire les choses en grand et tu possèdes tout un charme. Les gens nés sous ce signe deviennent rois, politiciens, athlètes ou explorateurs. Voici quelques mots qui décrivent bien le signe du dragon.

HORIZONTALEMENT

1. Heureux hasard, fortune

2. Personne qui crée des œuvres

3. Le contraire du mal

4. Rapide, vite

VERTICALEMENT

a. Dynamique, énergique

b. Innovant, inventif

c. Aptitude, compétence, savoir-faire

VA, DRAGON, VA !

Les dragons étaient toujours en mouvement. Avec tous les chevaliers et autres rois à leurs trousses, ce n'est pas trop étonnant. Voici des mots qui contiennent le mot «va». Peux-tu les deviner?

Elle nous donne du lait
VA _ _ _

Il se promène à dos de cheval
_ _ V A _ _ _ _

Un nom de fille
VA _ _ _ _ _

On y met des fleurs
VA _ _

Quand on boit un liquide, on l'
_ V A _ _

Beaucoup, beaucoup de bruit
VA _ _ _ _ _

Une piqûre pour te protéger contre une maladie
VA _ _ _ _ _

Le contraire d'après
_ V A _ _

DE FOLLES COURONNES

Ce petit dragon célèbre son anniversaire. Les dragons aiment l'or et les joailleries. Bien que son cadeau soit déjà emballé, peux-tu deviner quelle couronne il recevra?

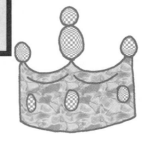
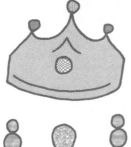

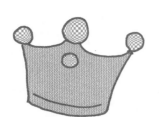

Un monstre avare

Les dragons européens étaient perçus comme étant avares et méchants. Certains remplissaient leur grotte de bijoux et de pierres précieuses de toutes sortes.

LE DRAGON DÉTECTIVE

Contrairement à ce que l'on peut croire, les dragons ne sont pas toujours occupés à brûler des villages et à faire peur aux paysans. Parfois, ils aiment rendre visite à leurs amis et jouer. Dans ce jeu, tu trouveras cinq groupes de quatre objets dans le sable. Dans chaque groupe, peux-tu trouver l'objet différent des autres ?

Un nouveau jardinier

Qu'obtient-on en croisant un dragon et une taupe ?

Un trou énorme dans le jardin.

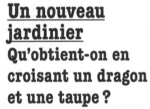

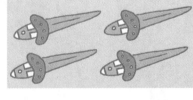

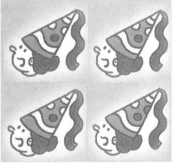

Pour se faire des amis, les dragons doivent faire attention au timbre de leur voix. (Généralement, ils ne font que rugir!) Peux-tu les aider à trouver les expressions «je vous prie» et «merci» dans ce tableau? Ils n'apparaissent qu'une fois chacun.

J	E	V	O	U	S	P	E	R	I
E	E	M	M	M	E	R	C	C	C
V	O	V	O	S	P	R	I	E	P
O	M	M	O	O	M	E	R	C	I
J	E	V	O	U	S	S	P	R	C
E	R	C	C	U	S	P	R	I	E
V	I	J	E	V	O	P	R	M	E
O	I	C	C	S	S	U	R	C	I
U	C	R	M	E	R	C	C	I	C
M	E	R	I	I	C	I	E	R	E
E	M	E	V	O	J	E	V	O	S
R	R	C	C	I	S	E	R	C	I

Grrrrrrrrrrr!

Voici un petit jeu amusant. Essaie de communiquer avec tes amis sans dire un mot. Tu as seulement le droit de rugir, mais tu peux te faire comprendre à l'aide de ton visage et de tes mains.

L'INCANTATION DU DRAGON

Ce dragon aime jouer avec les mots. Il essaie de trouver le nombre de mots qu'il peut composer avec son nom. Nous en avons trouvé quinze, mais il y en a sûrement d'autres. Combien peux-tu en trouver? Tu peux mélanger les lettres, mais tu ne peux utiliser chaque lettre qu'une seule fois.

BEN DRAGON

DES CANOTS DRAGONS

Les canots dragons sont munis de dragons gravés à la proue pour donner de la force aux pagayeurs durant les courses.

Mais ces canots ont deux têtes. Quelle est la tête la plus rapide?*

*Celle ayant le plus d'écailles gagne.

VÊTUE COMME UN DRAGON

Doris aime se vêtir drôlement. Quels vêtements a-t-elle décidé de porter? En quoi sont-ils différents des autres?

tablier

pantalon

pull à capuchon

veste en duvet

jupe

short

bas

UN SECRET CHANTÉ

C'est un secret bien gardé que les dragons adorent chanter. Ce petit dragon a presque terminé sa composition, mais il n'arrive pas à trouver des mots qui riment. Peux-tu l'aider à compléter sa chanson?

Je peux cracher le
f _ _

Et je volerai bien haut
dans les c _ _ _ _

Dès que je me rendrai
jusqu'à l'autre p _ _ _ !

Pourquoi les dragons aiment-ils manger des bonshommes de neige?

Parce qu'ils fondent dans la bouche.

LE SOUFFLE DU DRAGON

Quelle mauvaise haleine! En plus de pouvoir cracher du feu, certains dragons peuvent exhaler un souffle si froid qu'ils parviennent à glacer leurs ennemis et à les briser en morceaux. Peux-tu trouver ce que c'était en rejoignant les morceaux?

C'est le sixième anniversaire de Jack le dragon. Cela semble être une parfaite journée d'été ensoleillée, mais il y a six éléments bizarres dans cette image. Les vois-tu?

LE MIROIR MAGIQUE

Découvrir un dragon dans votre salon doit être bien étrange. Mais ce qui a de plus étrange sont les douze différences entre l'image ci-dessous et son reflet à la page suivante. Peux-tu les trouver?

Les dragons mangent une grande variété d'aliments. Le lait est leur boisson préférée, car il les aide à se détendre et à dormir. Ils apprécient également les gâteaux, les oiseaux, les bœufs, les cerfs, les éléphants, les jeunes filles et les princes.

Selon un vieil adage, quiconque souhaite remporter une cause au tribunal doit solliciter l'aide d'un dragon. Place la graisse du cœur d'un dragon à l'intérieur de la peau d'une gazelle et attache cette peau à ton bras à l'aide d'un muscle de cerf. Sois assuré que tu gagneras ta cause!

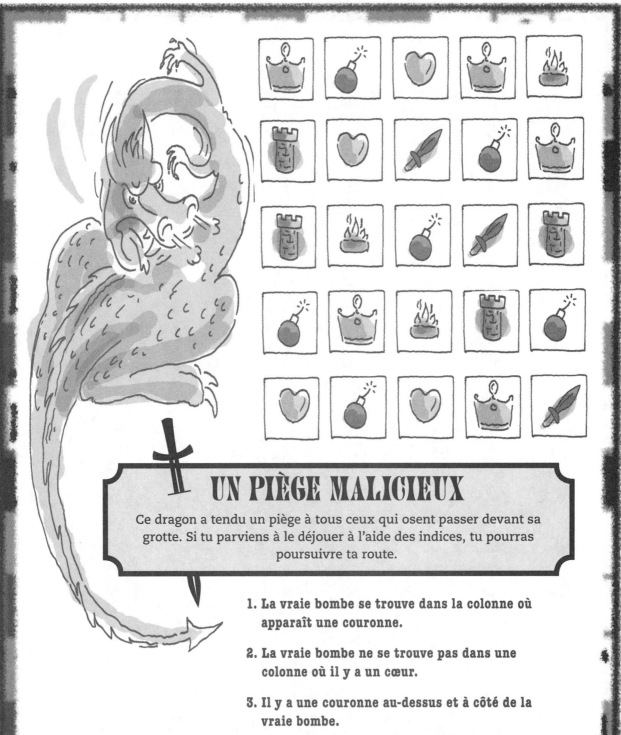

UN PIÈGE MALICIEUX

Ce dragon a tendu un piège à tous ceux qui osent passer devant sa grotte. Si tu parviens à le déjouer à l'aide des indices, tu pourras poursuivre ta route.

1. La vraie bombe se trouve dans la colonne où apparaît une couronne.

2. La vraie bombe ne se trouve pas dans une colonne où il y a un cœur.

3. Il y a une couronne au-dessus et à côté de la vraie bombe.

Réceptionniste : Docteur, il y a un dragon invisible dans la salle d'attente.

Docteur : Dites-lui que je n'ai pas le temps de le voir !

LE DINOSAURE CONTRE LE DRAGON

Si un dragon affrontait un dinosaure, qui serait le vainqueur? Nous ne le saurons jamais. Par contre, nous pouvons remarquer des changements entre les deux images ci-dessous. Peux-tu en trouver neuf?

LE REPAIRE FEUILLU

Bien que les dragons n'avaient peur de personne, ils devaient parfois se cacher. Ce dragon a choisi de se recouvrir de feuilles. Peux-tu les compter ? Pour rendre ce jeu plus amusant, pourquoi ne pas les colorier pendant le comptage ?

Les tueurs de dragons

Parmi leurs nombreux actes de bravoure, les héros grecs Apollon, Persée et Héraclès ont aussi tué des dragons.

CHAPITRE 6

OS DE DRAGON

BARBE DE BÉBÉ

L'Australie abrite un vrai dragon appelé «pogona», que les Australiens appellent aussi «bébé dragon à barbe». Par contre, ce dragon n'a rien à voir avec celui des légendes. En fait, il est tellement gentil qu'il compte parmi les reptiles domestiques les plus populaires. T'es-tu déjà demandé à quoi ressemblerait un reptile à barbe? Attrape tes crayons et amuse-toi à en dessiner!

Entre les yeux

Si tu dois nourrir un pogona un jour, tu pourras mesurer la quantité de nourriture à lui donner en mesurant la distance entre ses yeux et en la divisant par deux. Par conséquent, plus un pogona devient grand, plus il mange. Tout comme nous!

Il est fort possible que la découverte de fossiles de ptérodactyle ait amené des gens à croire qu'ils avaient trouvé un dragon. Après tout, tous deux étaient dotés d'un bec affilé, d'ailes géantes et de la capacité de voler. Peux-tu reconnaître le vrai ptérodactyle ci-dessous? Remets les lettres dans l'ordre pour trouver le mot bien épelé.

FOSSILES OU DRAGONS?

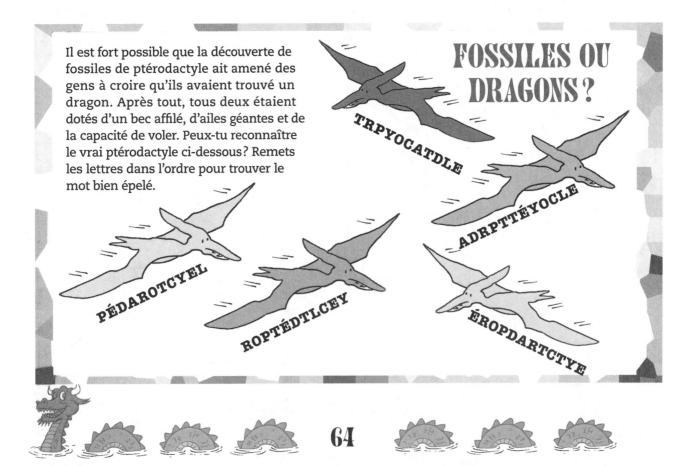

TRPYOCATDLE

ADRPTTÉYOCLE

PÉDAROTCYEL

ROPTÉDTLCEY

ÉROPDARTCTYE

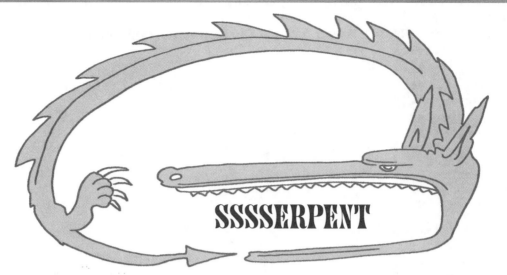

SSSSERPENT

Au fil de l'histoire, les mots «serpent» et «dragon» ont été interchangés, même s'ils désignent le même animal. Pour cette raison, les experts croient que bien des gens ont confondu des serpents avec des dragons. Les serpents sont des bêtes logiques. Peux-tu deviner ce qu'ils mangeront par la suite?

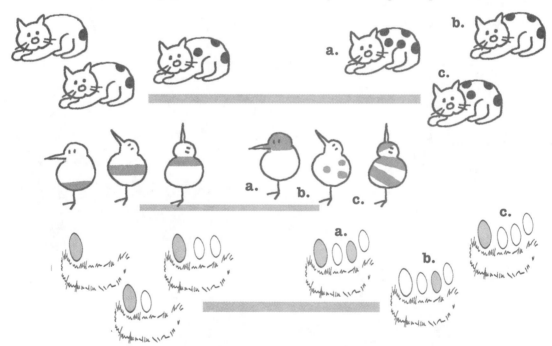

**Comment sais-tu qu'un dragon est passé par ton frigo?
Parce qu'il y a des traces de pas sur le beurre.**

UN CROCO, CROCO, CROCODILE

À une autre époque, il était souvent difficile de recueillir des faits. On écrivait des livres et produisait des illustrations d'après les rumeurs. Par exemple, un livre publié en 1636 intitulé *Une collection de quadrupèdes* contient l'illustration d'un dragon.
En le regardant aujourd'hui, il est facile d'y reconnaître un crocodile!

Quel animal se cache dans le ciel?

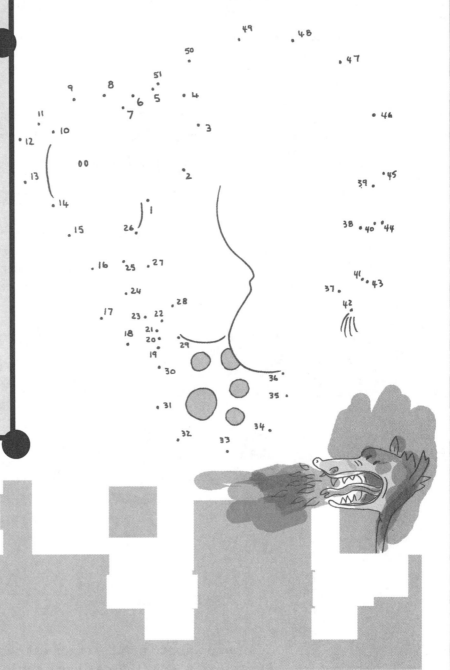

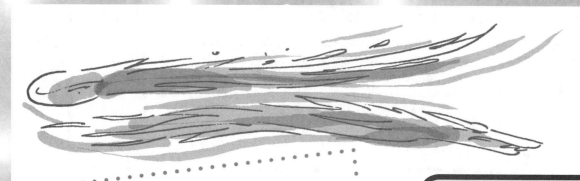

_ O M _ _ _ _ _

_ Ô M _

_ _ O M _ _

RIP

_ O M _ _

_ _ O M _ _ _

_ O M _ _

_ _ _ _ O M _ _

LÀ-HAUT DANS LE CIEL

Certaines personnes pensent que les dragons aperçus dans le ciel étaient en réalité des comètes. Cela peut sembler fou, mais en y réfléchissant bien, cela paraît logique. Les dragons volent dans le ciel et ont un long corps, une queue et une tête. De plus, du feu émane de leur gueule. Exactement comme une comète! Peux-tu trouver d'autres mots qui ont des points communs avec une comète?

PETITES ET GRANDES LIBELLULES

Les libellules que nous connaissons sont très petites, mais à l'ère préhistorique, elles étaient de la même taille que les goélands! Certains croient donc qu'on aurait pu les confondre pour des dragons. Mets à l'épreuve ton œil de lynx! Peux-tu déchiffrer le message laissé par les libellules? Utilise le code suivant : A = B, B = C, C = D, D = E, E = F, F = G, G = H, H = I, I = J, J = K, K = L, L = M, M = N, N = O, O = P, P = Q, Q = R, R = S, S = T, T = U, U = V, V = W, W = X, X = Y, Y = Z et Z = A.

EDSD CD CQZFNMR

BD RNHQ!

FEU À VOLONTÉ

Durant le Moyen Âge, les gens croyaient que les animaux ne pouvaient être blessés par le feu, et qu'en fait, le feu leur permettait de renaître.

FLEUR EFFARANTE

D'une certaine distance, la gueule-de-loup (qui porte le nom de «dragon mordeur» en anglais) ressemble à une bouche rouge de laquelle pointe une langue jaune. Si tu es un peu endormi, tu pourrais même avoir l'impression que des flammes s'échappent de cette «bouche». Les fleurs ci-dessous semblent bien inoffensives. Peux-tu les transformer en monstres terrifiants?

Voici quelques outils pour t'aider!

 sourcils froncés

 yeux fous

 dents pointues

 lignes de colère

UN DRAGON À LA MER

On aperçoit rarement ce dragon en raison de son excellent camouflage, mais il existe réellement. On le retrouve dans la mer avoisinant les côtes de l'Australie. Le pégase mâle couve les œufs jusqu'à leur éclosion. Peux-tu déchiffrer son message?

IL SUFFIT D'Y CROIRE

Il y a des gens qui croient toujours à l'existence des dragons. Peux-tu les aider à résoudre ce mystère? Voici un indice : chaque lettre a été remplacée par la lettre qui la précède ou qui la suit dans l'alphabet. Par exemple, la lettre B peut être remplacée par les lettres A ou C.

LE BON CHEMIN

Si les dragons ont réellement existé, ils devaient être drôlement intelligents. En Orient, on vénérait leur sagesse. En Occident, où ils étaient pourchassés, ils ont réussi à survivre durant des centaines d'années. Mais toi, pourras-tu réussir le prochain jeu? Peux-tu deviner quel objet complète la suite?

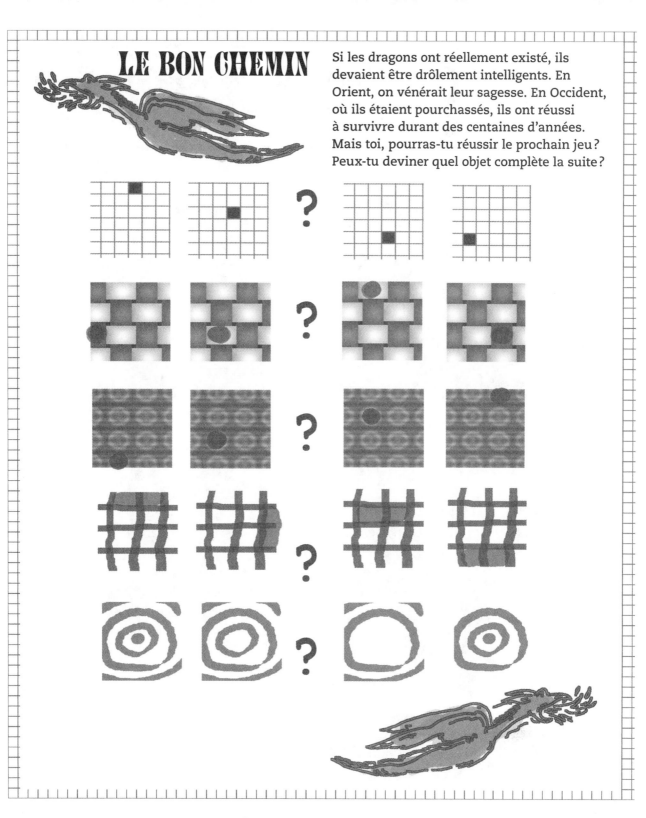

MONSTRE MANQUANT

Il manque un morceau à chacun de ces dragons. Peux-tu relier d'un trait le bon morceau à chaque monstre?

Drapeau hissé
Le drapeau gallois est considéré comme le plus ancien drapeau au monde. Il arbore fièrement l'image d'un dragon.

EN CHAIR ET EN OS

Bien qu'aucun ossement de dragon n'ait été trouvé, la croyance veut qu'ils aient eu des os creux et très légers. Ceci leur permettait de voler. Les dragons possédaient d'autres attributs uniques.

Peux-tu repérer le crâne qui appartenait réellement à un dragon ? Ce dragon avait beaucoup de choses en tête ! Il doit penser aux éléments suivants :

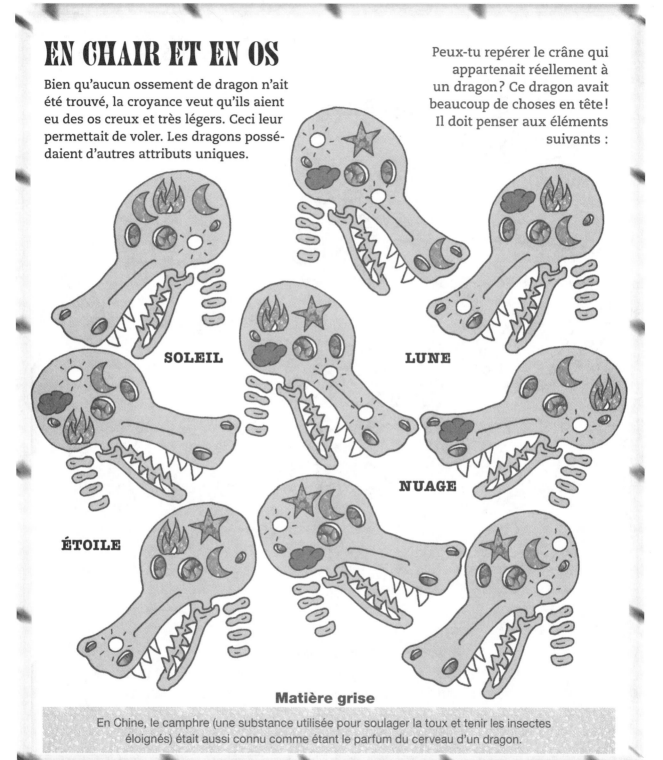

SOLEIL

LUNE

NUAGE

ÉTOILE

Matière grise

En Chine, le camphre (une substance utilisée pour soulager la toux et tenir les insectes éloignés) était aussi connu comme étant le parfum du cerveau d'un dragon.

BING, BANG, BOUM !

Ces dragons se réunissent à l'occasion d'une fête. Mais ils semblent avoir eu un peu trop de plaisir. Peux-tu rassembler les dragons ? Chacun d'entre eux a été coupé en deux..

Tête première

Comment savoir si un dragon a atteint l'âge adulte ? C'est toute une mission ! Si tu parviens à compter ses dents et en dénombres 48, tu sauras qu'il est adulte.

C'EST UN OISEAU !
NON, C'EST UN DRAGON.

Les dragons détestent qu'on les confonde avec les oiseaux. Voilà pourquoi ils se sont dotés d'autres noms qui signifient aussi « dragon ». Peux-tu les deviner ? Une lettre s'est glissée par erreur dans chaque mot. Raye-la pour découvrir les réponses.

Siiieripeiinit

Ciriaicihieiuir de fieiu

Kiioiimoiidio

Tiiypihioni

Qu'obtiens-tu en amenant un dragon à l'école ?

Une école vide !

IL N'Y A PAS DE FUMÉE...

Les dragons les plus populaires — et les plus effrayants — sont les cracheurs de feu. Il faut être extrêmement brave pour les affronter. Aurais-tu le courage de te mesurer à l'un de ces monstres, armé uniquement d'une épée et d'un bouclier?

Ornements draconiens

On ornait souvent les boucliers de dragons pour démontrer la force du guerrier. Peux-tu trouver les deux boucliers parfaitement identiques?

BOUFFÉE DE CHALEUR

Les dragons qui ne peuvent pas cracher du feu peuvent tout de même souffler de la chaleur. Si tu as déjà passé la main au-dessus d'une bouilloire, tu sais à quel point la vapeur peut être chaude! Ce dragon aime une autre chose qui dégage de la chaleur. Suis les directives pour savoir de quoi il s'agit.

Retire le D.

Remplace le N par un U.

Rajoute un T à la fin du mot.

Ajoute un accent circonflexe sur la dernière voyelle.

D
R
A
G
O
N

CHANSON DE DRAGON

A-t-on déjà composé une chanson juste pour toi? Eh bien! les dragons ont eu cet honneur. On leur donne le nom de ballade. L'une des ballades les plus connues parle de Tiamat, la déesse des dragons dans la mythologie babylonienne. Elle a créé les cieux à partir de son souffle, et la Terre, à partir de son corps. Toi aussi, tu peux écrire une chanson! Nous avons réuni quelques mots pour t'inspirer. Laisse aller ton imagination!

Souffle	Chevalier
Gouffre	Déployer
Histoire	Ailes
Mémoire	Ciel
Armure	Chanson
Mur	Maison
Monture	Queue
Feu	Heureux
Courageux	
Argent	
Vaillant	

UN SERPENT INTELLIGENT

Les dragons ont vécu durant des centaines d'années et sont très intelligents. Ce brillant dragon a la bosse des maths. Il utilise les formules de base pour ouvrir la porte qui sépare sa caverne d'un royaume magique.

A = 1	F = 6	L = 12	S = 19
B = 2	G = 7	M = 13	T = 20
C = 3	H = 8	N = 14	U = 21
D = 4	I = 9	O = 15	V = 22
E = 5	J = 10	P = 16	W = 23
	K = 11	Q = 17	X = 24
		R = 18	Y = 25
			Z = 26

23 - 13 = __   1 + 4 = __

11 x 2 = __   3 x 5 = __

30 - 9 = __   13 + 6 = __

4 x 4 = __   24 - 6 = __

18 ÷ 2 = __   12 - 7 = __

Attention à la queue !

Une légende africaine traite de dragons et d'éléphants. Il semblerait que les éléphantes donnaient naissance à leurs petits dans l'eau pour éviter d'être happées par la queue d'un dragon.

DRAGON MAGIQUE

En plus d'accomplir des tours de magie (ce qui est plutôt impressionnant), certains dragons peuvent parler notre langue. Que nous diraient-ils, selon toi?

LA LANGUE DES DRAGONS

Essaie de comprendre les paroles de ce dragon. Il semble éprouver de la difficulté avec la première lettre de chaque mot.

es ragons ansent ehors

a aman ange on elon

es utins isent eurs ivres

Un dragon gelé

Comme appelle-t-on un dragon glacé ?

Un draçon.

SANS QUEUE NI TÊTE

Un des dragons les plus captivants est le dragon à têtes multiples. Peux-tu compter toutes ses têtes? Ce dragon semble avoir trop de têtes. Peux-tu identifier celles qui ne lui appartiennent pas?

LA LANGUE DES DRAGONS

Mon premier est la onzième lettre de l'alphabet.

Mon deuxième sert à boire.

Mon troisième sert à composer une phrase négative.

Mon tout est la demeure du dragon. Qui suis-je?

DES PLUS GRANDS...

Parfois, il suffit d'être grand pour impressionner les autres. La Bible raconte l'histoire d'un dragon si énorme qu'il lui suffisait de donner un coup de queue pour balayer la moitié des étoiles dans le ciel.

CONSTELLATIONS D'ÉTOILES

Quelqu'un a bouleversé l'ordre des planètes et des étoiles. Peux-tu trouver l'amas d'étoiles identique à la constellation du centre?

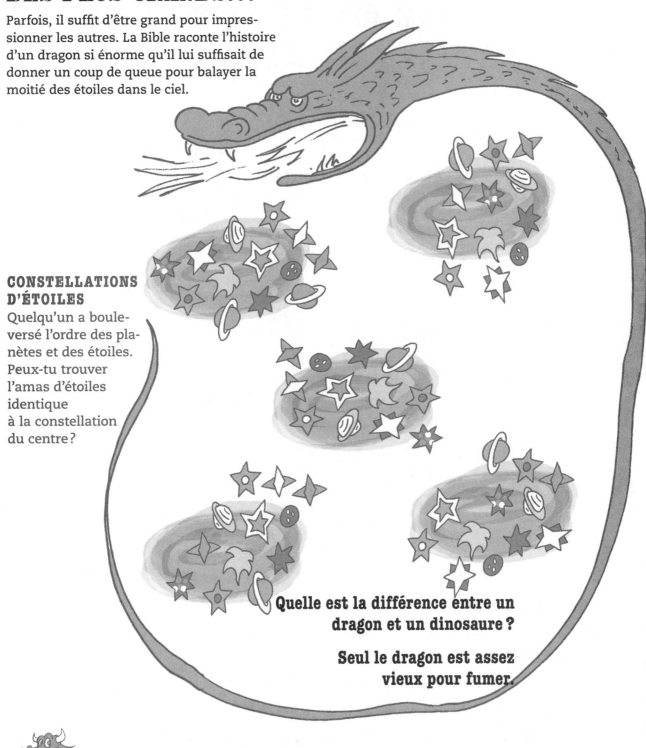

Quelle est la différence entre un dragon et un dinosaure?

Seul le dragon est assez vieux pour fumer.

... AUX PLUS PETITS

Parmi les dragons les plus rares, citons le dragon-fée. Certains membres de l'espèce mesurent à peine deux centimètres. Ils possèdent des ailes semblables à celles des papillons et ils sont végétariens. Dans certaines histoires, les fées se déplaçaient à dos de dragon-fée. La majorité de ces dragons savent comment se camoufler, mais l'un d'entre eux n'est pas si sage. Peux-tu le trouver? Il est le seul à projeter une ombre.

Qu'obtient-on en croisant un dragon et un chien?

Un facteur très nerveux.

BANG ! BANG !

Avant l'invention de la carabine moderne, les soldats utilisaient un mousquet (une sorte de fusil) qui lançait des flammes. On lui avait donné le surnom de « dragon ». Dans l'image ci-dessous, chaque arme est reproduite cinq fois sauf une, qui n'apparaît que quatre fois. Laquelle ?

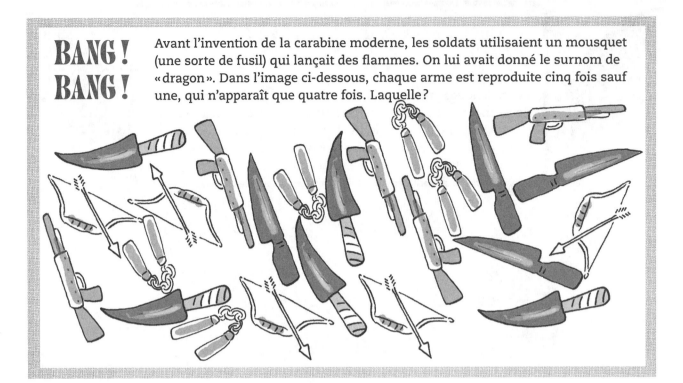

PARTIES D'UN TOUT

Certains dragons semblaient être formés de différentes parties. Le même principe s'applique aussi à certains mots. Chaque ensemble de trois mots a une partie en commun. Peux-tu la deviner ?

_ _ _ veux

_ _ _ val

Va_ _ _

Li_ _ _ lule

_ _ _ le

Pou_ _ _ le

_ _ _ le

_ _ _ lon

Ver_ _ _

A _ _ _ n

_ _ _ lon

_ _ _ lette

_ _ _ _ mobile

_ _ _ _ matique

_ _ _ _ bus

MODE DU JOUR

Quel dragon populaire! Son placard est rempli à craquer, et tous ses vêtements se sont mélangés. Peux-tu relier le bon chapeau au bon t-shirt? Attention! Il y a quelques vêtements en trop.

UN CHEVALIER COMBATTIF

À la poursuite de dragons, les chevaliers pouvaient parfois s'absenter durant des semaines. Peux-tu décoder la mission qu'on lui a confiée?

 + ve et

 + le chevalier

Lorsque les chevaliers engageaient un combat avec un dragon, ils devaient se regarder dans le blanc des yeux; mais les dragons sont généralement montrés comme ayant de grands yeux rouges ou jaunes, avec des pupilles en forme de minces fentes.

Prends ton +

Sors la tête du  et passe voir la

Ne  pas dans le vide et bien les signes

LE JARDIN DES DRAGONNEAUX

Ces parents dragons passent prendre leurs bébés, mais le nombre de bébés dépasse le nombre de parents. Comment reconnaître l'enfant de chaque dragon? Peux-tu le deviner grâce à leurs traits de famille?

Oroboros

Le terme «oroboro» signifie «mangeur de queue». Certains dragons sont illustrés de cette manière dans les peintures anciennes. Ils représentent l'éternité.

1. Liquide s'échappant d'un volcan en éruption.

   _____

2. À la fois un fruit et une profession.

   _____

3. Petit écureuil de l'Amérique du Nord au pelage rayé.

   _____

4. Gros appareil piloté dans les airs.

   _____

5. Un homme riche est un homme bien...

   _____

6. Quel bon concept !

   _____

7. Quand tu vas à l'école, tu es un...

   _____

8. À la fois une fleur et une couleur.

   _____

9. On baille d'...

   _____

MA CAVERNE, MA MAISON

Cette exploratrice laisse sa trace. Lis les indices pour trouver les neuf mots. La dernière lettre d'un mot devient la première lettre du mot suivant. En prenant la première lettre de chaque mot, tu découvriras le nom de cette caverne.

5. ___   6. ___

4. ___   7. ___

3. ___   8 ___

1 _____
2 _____
3 _____
4 _____   9. ___
5 _____
2. ___   6 _____
7 _____
1. ___   8 _____
9 _____

En Occident, les dragons habitaient dans des cavernes, mais en Orient, ils s'installaient près de l'eau, voire même dans l'eau.

UNE MAISON CHANCEUSE

En Chine, avoir un dragon dans la maison est un signe de chance. Le dragon représente l'abondance et le bonheur. Les Chinois se disent «Lung Tik Chuan Ren», c'est-à-dire «les descendants du dragon». Combien de dragons ornent le mur de cette maison chanceuse?

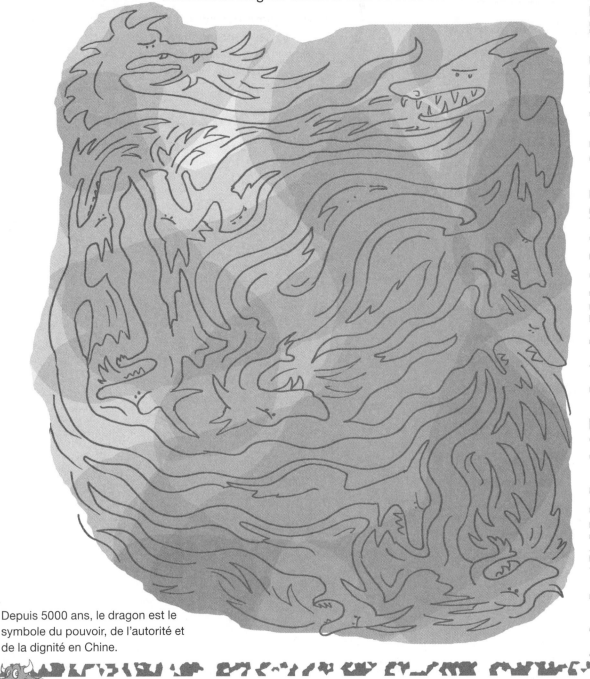

Depuis 5000 ans, le dragon est le symbole du pouvoir, de l'autorité et de la dignité en Chine.

LE CULTE DES DRAGONS

En Orient, la majorité des dragons habitaient dans l'eau. De nos jours, on y trouve des tombeaux et des autels le long des lacs et des rivières. De cette façon, les gens pouvaient être près des dragons lorsqu'ils priaient pour obtenir des faveurs. Chaque point représente un lieu de pèlerinage. En les reliant, peux-tu voir qui ces gens visitent?

Des dragons météorologues

En Chine, on trouve de nombreuses pagodes où les gens priaient les dragons pour les aider dans leurs récoltes. On croyait que les dragons dirigeaient les océans, les rivières et la pluie.

DÎNER DE PIERRES

Comment aimerais-tu un dîner de pierres? L'estomac des dragons contenait un acide si puissant qu'il était capable de digérer les pierres. Voici quelques mots contenant les lettres «on». Penses-tu que les dragons parviendraient à les manger eux aussi?

_ on_ _ _ _ _ _

_ _ _ _ _ on

Police _ on_ _ _

_ on_ _ _ _ _

Meuble de _ _ _ on

Quel est le comble d'un dragon?

C'est de griller un feu rouge!

_ _ _ _ on

_ on_ _ _ _

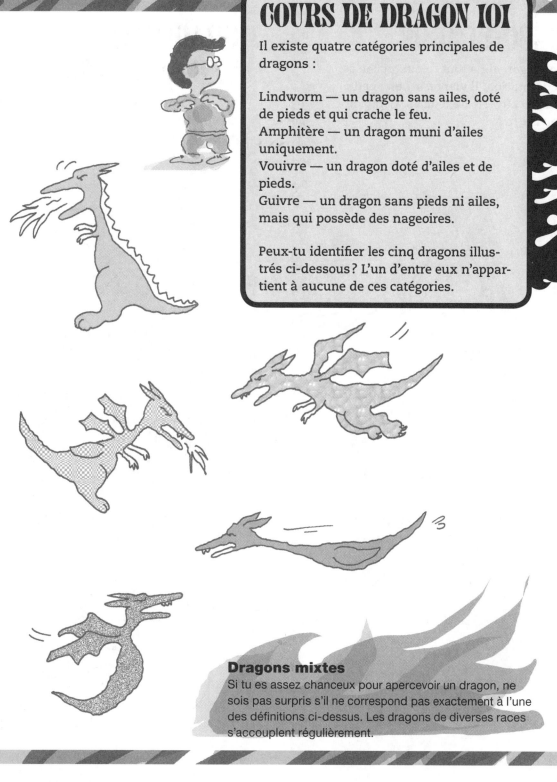

COURS DE DRAGON 101

Il existe quatre catégories principales de dragons :

Lindworm — un dragon sans ailes, doté de pieds et qui crache le feu.
Amphitère — un dragon muni d'ailes uniquement.
Vouivre — un dragon doté d'ailes et de pieds.
Guivre — un dragon sans pieds ni ailes, mais qui possède des nageoires.

Peux-tu identifier les cinq dragons illustrés ci-dessous ? L'un d'entre eux n'appartient à aucune de ces catégories.

Dragons mixtes

Si tu es assez chanceux pour apercevoir un dragon, ne sois pas surpris s'il ne correspond pas exactement à l'une des définitions ci-dessus. Les dragons de diverses races s'accouplent régulièrement.

DÉCO-DRAGON

Ce dragon aime tout ce qui touche à la décoration. Il vient d'acheter cette lampe couverte de feuilles. Combien en vois-tu?

CHAOS DANS LES CAVERNES

Il y a trop de cavernes! Peux-tu aider ce dragon à trouver le chemin de la caverne où brûle un feu?

LE PÂTÉ DU DRAGON

Les dragons dévorent à peu près n'importe quoi, qu'il s'agisse d'un chevalier brûlé ou d'une soupe de pierres. Peux-tu deviner le plat commandé par ce dragon? Raye toutes autres lettres que S, E, P, O, U, A, R, X, I et N.

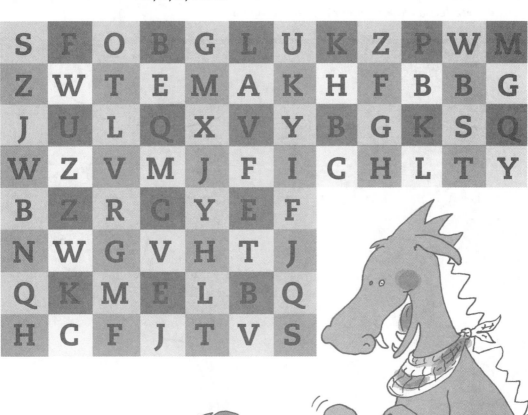

S	F	O	B	G	L	U	K	Z	P	W	M
Z	W	T	E	M	A	K	H	F	B	B	G
J	U	L	Q	X	V	Y	B	G	K	S	Q
W	Z	V	M	J	F	I	C	H	L	T	Y
B	Z	R	C	Y	E	F					
N	W	G	V	H	T	J					
Q	K	M	E	L	B	Q					
H	C	F	J	T	V	S					

Maman ET papa

En 2006, une dragonne de Komodo a donné naissance à cinq bébés, et ce, même si elle n'avait jamais été en contact avec un dragon. Cet événement étrange s'appelle la parthénogenèse.

QUI DORT DÎNE !

Ce dragon est tellement affamé qu'il rêve déjà de son dîner. Mais ce rêve est sens dessus dessous. Peux-tu remettre les morceaux en ordre pour découvrir le mets préféré des dragons?

Imagine-toi piégé dans la caverne du dragon où celui-ci bloque la sortie. Comment t'en sortirais-tu?

En arrêtant de l'imaginer!

QUEUE DU DRAGON

Voici un jeu amusant appelé «Queue du dragon». Dessine un serpentin à la craie en t'assurant que chaque case soit assez grande pour te permettre d'y poser les pieds. Un peu comme à la marelle, chaque joueur doit sauter d'une case à l'autre en se tenant sur un pied. Lorsqu'il atteint le milieu, il peut se reposer en se tenant sur les deux pieds, mais ensuite, il doit revenir au début du serpentin en sautant sur un pied. S'il réussit à parcourir le serpentin dans les deux sens sans toucher une ligne ou perdre l'équilibre, il écrira son nom dans la case de son choix. Cette case deviendra alors son écaille (comme celles que l'on trouve sur la queue d'un dragon). Lors de son prochain parcours, il pourra alors poser les deux pieds sur cette écaille afin de se reposer. À la fin du jeu, le joueur ayant le plus grand nombre d'écailles sera déclaré gagnant.

Pour rendre le jeu plus difficile, vous pouvez faire en sorte que seul le joueur qui a écrit son nom dans une case puisse sauter dessus : les autres devront sauter par-dessus.

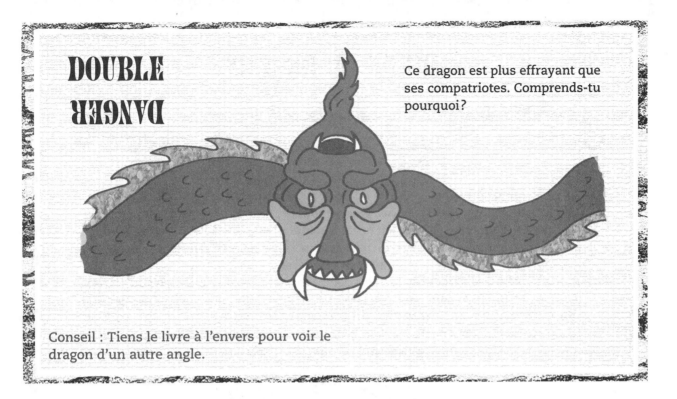

DOUBLE DANGER

Ce dragon est plus effrayant que ses compatriotes. Comprends-tu pourquoi?

Conseil : Tiens le livre à l'envers pour voir le dragon d'un autre angle.

UNE QUESTION DE QUARTIER

Les dragons sont très intelligents, mais celui-ci aurait besoin de nouvelles lunettes. Peux-tu l'aider à trouver le quartier de chaque cercle qui n'est pas comme les autres?

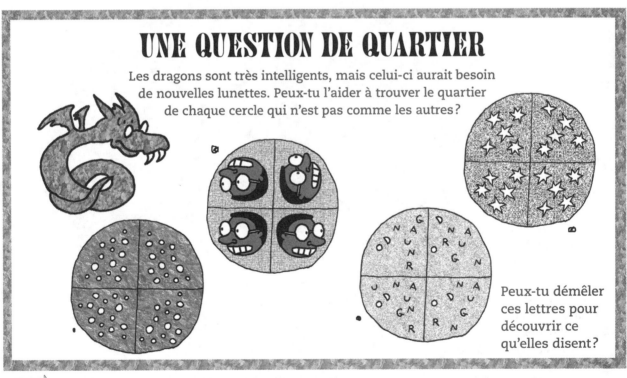

Peux-tu démêler ces lettres pour découvrir ce qu'elles disent?

CHAPITRE 9

THOR ET SES MAUVAIS SORTS : LES AMIS ET ENNEMIS DES DRAGONS

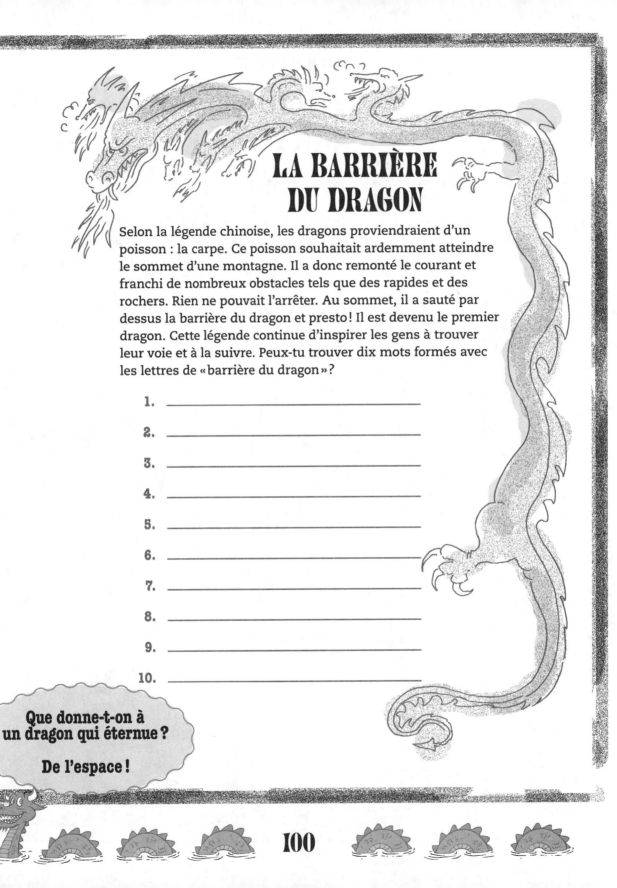

LA BARRIÈRE DU DRAGON

Selon la légende chinoise, les dragons proviendraient d'un poisson : la carpe. Ce poisson souhaitait ardemment atteindre le sommet d'une montagne. Il a donc remonté le courant et franchi de nombreux obstacles tels que des rapides et des rochers. Rien ne pouvait l'arrêter. Au sommet, il a sauté par dessus la barrière du dragon et presto! Il est devenu le premier dragon. Cette légende continue d'inspirer les gens à trouver leur voie et à la suivre. Peux-tu trouver dix mots formés avec les lettres de «barrière du dragon»?

1. _____

2. _____

3. _____

4. _____

5. _____

6. _____

7. _____

8. _____

9. _____

10. _____

Que donne-t-on à un dragon qui éternue?

De l'espace!

DRAGON ESPIÈGLE

Il semblerait que ce dragon malicieux se soit glissé dans la classe du maître pour remplacer tous les mots sur le tableau noir.

Peux-tu relier chaque mot savant à la bonne définition?

gargantua   mange des aliments variés

omnivore   qui a une grosse tête

fantasmagorique   gros mangeur

perfide   fabuleux

macrocéphale   trompeur

Qu'est-ce qui est rouge et vert, rouge et vert, rouge et vert ?

Un dragon qui dégringole un escalier.

DES MOTS GÉANTS

Il était difficile, pour un dragon, de trouver des camarades de jeu de sa taille. Heureusement qu'il y avait des géants! Ensemble, ils jouaient sur des terrains GÉANTS, avec des ballons GÉANTS. Voici des synonymes du mot géant, mais quelqu'un s'est amusé à remplacer les «a» et les «e» par d'autres voyelles. Peux-tu deviner les mots?

unormi _____

gogontosquo _____

mussif _____

monstri _____

colossul _____

immunsu _____

Quel nom donnes-tu à une personne assez brave pour mettre sa main droite dans la gueule d'un dragon?

Un gaucher.

RA RA RA !

Les dragons ont besoin d'encouragements, comme tout le monde. Quel malheur qu'il n'y ait pas eu de meneuses de claques au Moyen Âge!

Ces mots contiennent tous les lettres «RA» ou «AR»: peux-tu les deviner?

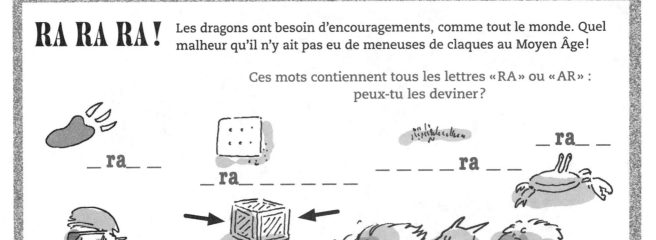

_ ra_ _

_ ra_ _ _ _ _

_ _ _ _ _ _ ra _ _

_ ra_ _

_ _ ra_ _

_ ar_ _

DISCUSSION DE DRAGONS

Il est possible que les dragons aient créé leur propre alphabet. Voici un message gravé sur la paroi d'une caverne. Peux-tu le déchiffrer à l'aide du code ci-dessous?

Pourquoi ne pas créer ton propre alphabet?
Voici quelques exemples pour t'aider.

QUE L'ORDRE RÈGNE !

Quel dragon ordonné! Tout doit être bien rangé. Peux-tu deviner le prochain objet de chaque suite?

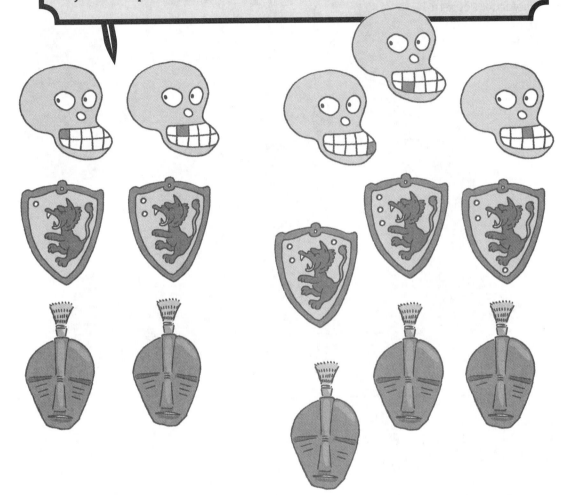

Comment sais-tu si un dragon se cache sous ton lit ?

Ton nez touche le plafond!

◆ UN PRÉCIEUX BUTIN ◆

À l'époque médiévale, chaque roi devait faire face à son propre dragon. Ces dragons ont pillé le château du roi. Ils ont mis la patte sur des pierres précieuses et sur des armes. Comme il y a cinq dragons, il devrait y avoir cinq exemplaires de chaque objet. Peux-tu trouver les objets pour lesquels il n'y a que quatre exemplaires?

DDDDRAGONS

Voici une phrase difficile à prononcer avec laquelle tes amis et toi pourrez vous amuser. Essayez chacun de la prononcer rapidement, trois fois d'affilée : Des dragons gardent les gradins en regardant les grands garçons.

LA MAGIE DU DRAGON

Pour faire peur aux gens, les dragons ont plus d'un tour dans leur sac. Peux-tu démêler ces mots pour découvrir leurs astuces?

À présent, mets les lettres majuscules en ordre pour découvrir la phobie des dragons.

mfUée

tmugeRissen

fmlSame

fgSfrie

leugue

emlag

gèsOrleti

La mythologie chinoise compte quatre rois dragons, soit un pour chaque point cardinal : nord, sud, est et ouest.

FÉROCEMENT FAUX

Les dragons étaient reconnus pour leur mauvais caractère. Aucun des dragons ci-dessous ne semble particulièrement amical, mais un d'entre eux, en particulier, n'est pas à sa place. Peux-tu le trouver? Voici quelques indices : ce méchant dragon a une barbiche, trois dents sur sa mâchoire supérieure et deux sur sa mâchoire inférieure, trois griffes, et trois cercles sont dessinés sur sa casquette.

Feu et eau

En Occident, si tu provoques la colère d'un dragon, il brûlera probablement ta ville ou ton village. En Orient, un dragon fâché causera une inondation ou des pluies torrentielles.

COUP DE CHAPEAU

Ce dragon a besoin d'un nouveau chapeau. Trouve celui qui a les caractéristiques suivantes :

trois bandes, un cercle, aucun triangle et un carré.

DRAGON D'UN JOUR

Imagine ce que tu ferais si tu étais un dragon pour une journée. Écris cinq choses que tu aimerais faire. N'oublie pas que tu peux voler et cracher le feu !

CHAPITRE 10

DRAGONS À RELIER

GRAND BÉBÉ

Les bébés animaux doivent savoir où se cacher pour éviter les dangers. Bien qu'il soit presque impossible de tuer un dragon adulte, la réalité est tout autre pour les bébés dragons. Peux-tu voir ces bébés dragons ? Ils ont trouvé un très bon camouflage.

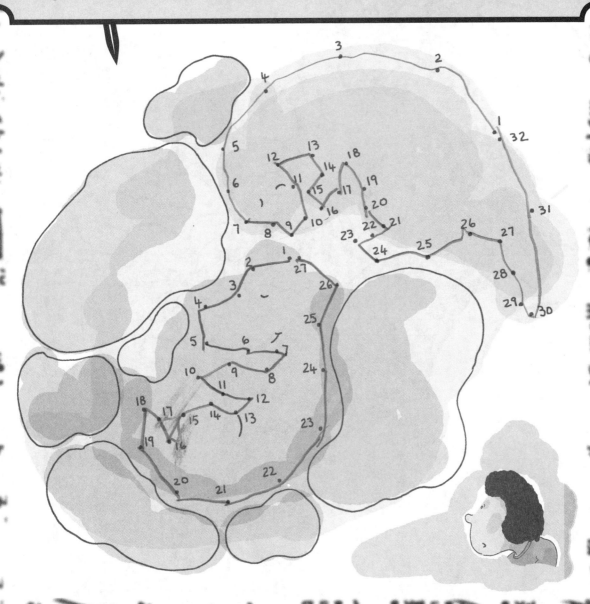

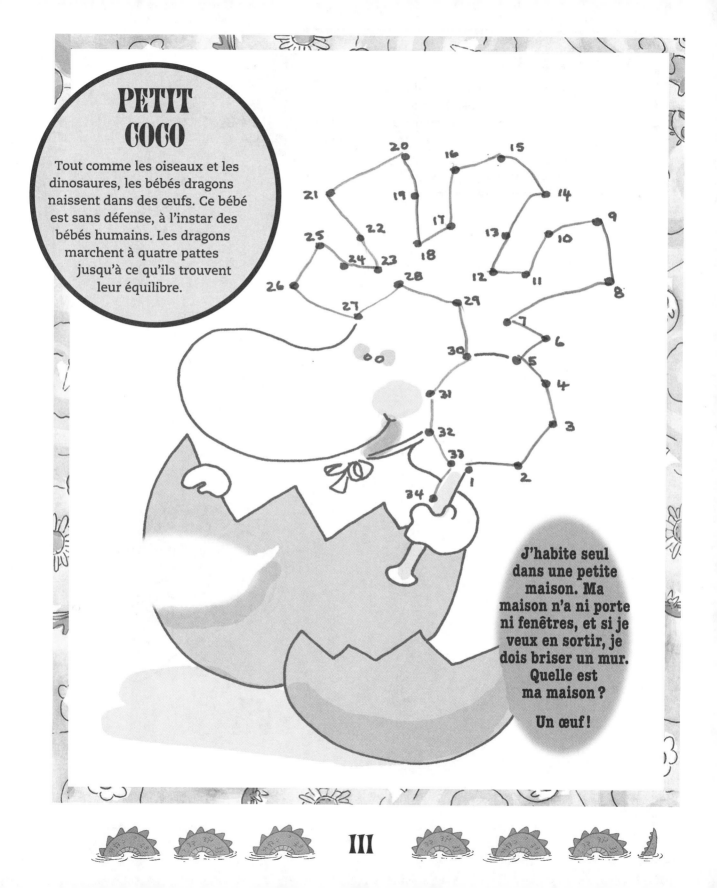

PETIT COCO

Tout comme les oiseaux et les dinosaures, les bébés dragons naissent dans des œufs. Ce bébé est sans défense, à l'instar des bébés humains. Les dragons marchent à quatre pattes jusqu'à ce qu'ils trouvent leur équilibre.

J'habite seul dans une petite maison. Ma maison n'a ni porte ni fenêtres, et si je veux en sortir, je dois briser un mur. Quelle est ma maison ?

Un œuf !

GRAND PIED !

Selon toi, quelle est la taille d'un pied de dragon ? Aussi grand que celui d'un éléphant ou plus grand encore ? Relie les points pour découvrir une empreinte qui n'appartient pas à un dragon. (Petite astuce : peut-être est-ce l'empreinte du Sasquatch — tu sais, cette bête mythique de l'Amérique du Nord ?)

À TON CRAYON !

T'es-tu déjà demandé à quoi ressemblerait un cours enseigné par un dragon? Ça pourrait être drôlement chouette d'avoir un enseignant cracheur de feu! Mais il faudrait faire attention à ne pas le mettre en colère. Relie les points pour découvrir ce qui arriverait s'il n'y avait plus de craie!

SCREEECH!!

Le Web renferme de précieux renseignements au sujet des dragons!
Rends-toi en ligne pour en savoir plus sur ces créatures fascinantes.

http ://www.geocities.com/SoHo/Studios/8178/dragons.html

La mini encyclopédie des dragons explique tout sur les dragons, de leur caractère à leur héritage en passant par leurs couleurs et leurs écailles.

http ://www.greluche.info/coloriage-dragon-0.html

Tu as envie de colorier de beaux dragons ou encore des dragons effrayants? Ce site offre une quinzaine de dessins très précis.

http ://www.dinosoria.com/dragon.htm

Ce site offre une lecture un peu plus complexe, mais il est bourré d'informations sur le mythe des dragons.

http ://www.magie-et-fantasy.com/dragons.html

Ce site offre une introduction sur les dragons en plus de contenir des renseignements sur d'autres créatures mythiques telles que le centaure et la salamandre.

http ://www.mcq.org/dragons/fr/

Ce site créé à l'occasion d'une exposition sur les dragons au Musée de la civilisation du Québec te permet d'envoyer de jolies cartes virtuelles à tes amis.

http ://fr.wikipedia.org/wiki/Dragon_(mythologie)

Difficile de passer à côté de Wikipedia, qui présente une panoplie de renseignements sur les dragons et sur la mythologie dans diverses cultures. Le site répertorie également une liste de livres et de jeux sur les dragons.

CHAPITRE 1 : L'HISTOIRE DES DRAGONS

Saint Georges, le gentilhomme • page 3

Mordre sa queue • page 5

Il y a 34 cercles. N'oublie pas la Terre et le Jormungand!

Des éléphants au menu • page 6

Ombres de dragon • page 4

SOLUTIONS DES ÉNIGMES

Beowulf contre le dragon • page 7

Je fais une bonne
soupe magique !

Habitants horrifiés • page 10

Smaug • page 8

Sur sa poitrine gauche

Maux de têtes • page 11

L'arbre de la vie • page 9

À la récréation, je fais des pirouettes.

Les lapins mangent des carottes.

Grand-papa doit porter des lunettes.

Mon petit frère porte une salopette.

Un magicien a besoin de sa baguette magique.

Les dragons aiment dormir dans une grotte.

Je ne veux pas jouer de la flûte, donne-moi plutôt
une trompette.

Maman m'a amené au théâtre des marionnettes.

Il fait froid, je vais enfiler mes chaussettes.

Le dragon est triste : il n'est pas dans son assiette.

SOLUTIONS DES ÉNIGMES

Calcul exact • page 12

Le numéro 2000 est inscrit
huit fois sur ce dragon.

La crinière du Mississippi • page 13

L'horrifiant dragon héraldique • page 13

Ce dragon a 310 ans.

Des mots dans le ciel • page 14

ATTENTION! LA TEMPÊTE S'EN VIENT!

CHAPITRE 2 : TOUT LE MONDE A UN DRAGON

Noble courage • page 16

Taureau

Canard

Aigle

Poisson

Cheval

Numéros scandinaves • page 17

Il y a 12 dragons.

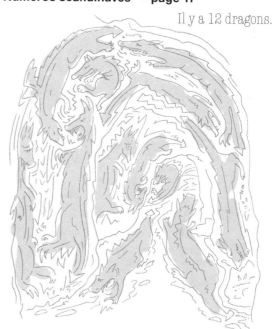

SOLUTIONS DES ÉNIGMES

Un chien de garde grec • page 18

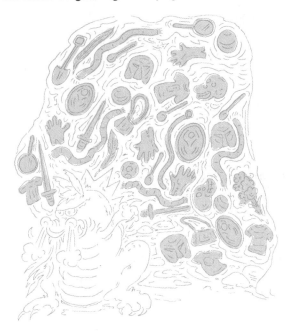

Un cheval dans le ventre • page 19

ver	verre
mère	mer
saut	seau
col	colle

Le cristal des Cherokees • page 19

La première lettre de
chaque mot a été placée
à la fin de celui-ci.
Il suffit de la replacer
au début du mot pour
découvrir le message :

NE ME FÂCHE PAS, SINON,
JE DÉTRUIRAI TON VILLAGE !

Tous pour un • page 20

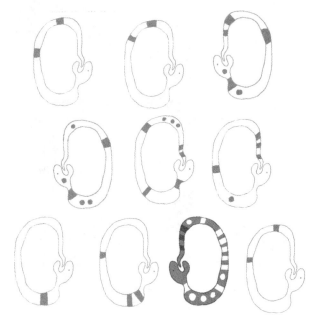

Tous les mots sont formés de lettres
qui font partie du mot *dragon*.

Les pierres de Russie • page 21

SOLUTIONS DES ÉNIGMES

Un monstre mexicain • page 22

18 pièces   Cette pièce apparaît le plus souvent.

10 pièces

12 pièces

10 pièces

1 pièce   Cette pièce n'apparaît qu'une seule fois.

Il y a cinq pièces différentes.

Une tête figure sur 18 pièces.

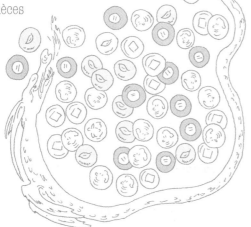

Le doigté du dragon • page 24

Il y a cinq dragons japonais dans l'illustration.

Des rivières serpentines • page 26

S	J'	L	F	A	I	F	C
O	F	N	Ç	U	L	S	C
F	E	S	L	T	T	E	F
M	O	F	N	L	T	S	A
F	S	G	N	F	L	E	S

J'AI CONÇU CETTE MONTAGNE

D'Abraxas à Zu • page 26

Le Brinsop était un dangereux dragon de l'Angleterre. Selon la légende, il aurait été tué par Saint-Georges.

E	T	L	L	M	P	S	E	A	A	U
B	F	G	C	E	E	D	G	H	**R**	J
K	Q	T	U	T	V	A	M	W	W	Y
A	C	W	X	X	**I**	D	E	H	H	U
W	**N**	F	E	E	H	A	A	M	Q	T
V	V	W	B	Z	Z	M	H	H	**S**	E
T	T	**O**	K	K	T	E	F	B	A	A
C	D	G	H	W	W	J	**P**	K	L	M

Dis allô au dragon de Komodo! • page 23

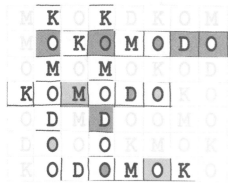

Komodo apparaît cinq fois.

SOLUTIONS DES ÉNIGMES

L'ami de la princesse • page 28

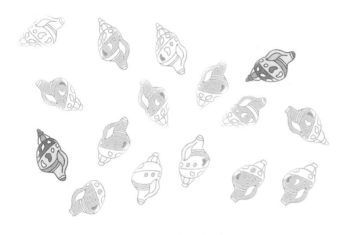

La sorcière ensorceleuse • page 30

Soupirs et zigzags,
butins et ombrages !
La peur et les pleurs
t'assailliront,
si tu ne m'écoutes pas,
Druide le dragon
te survolera et
te BRÛLERA !

Sorcier, sois sur tes gardes ! • page 29

Saluons la sirène • page 31

rubis
diamant
grenat
émeraude
saphir
améthyste
opale

AGATE

Voici les dix différences : le soleil, les yeux du crâne, le trou
à souris, la souris, le lutrin, la clé, la lune sur le chapeau,
la flamme sous la fiole, les bandes sur le lézard, l'œil ouvert
du dragon

SOLUTIONS DES ÉNIGMES

L'armure du chevalier • page 32

Gggriffons • page 34

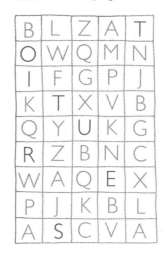

TOITURES

À vol d'oiseau • page 34

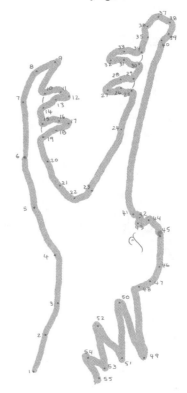

La ronde des fées • page 33

SOLUTIONS DES ÉNIGMES

La rançon du roi • page 35

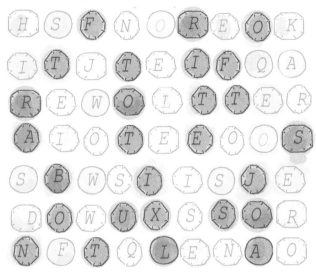

Frotti, frotta, tes bijoux sont là!

La capacité d'adaptation • page 37

vapeur, peur
souris, soucis
bifteck, vache
table, fable
horloge, or

Faire des pieds et des mains • page 37

Chaque chapeau peut être porté avec six différentes paires de moufles. Il y a cinq chapeaux en tout. La réponse est donc 6 X 5 = 30.

Un feu flottant • page 36

Licorne, où es-tu? • page 38

SOLUTIONS DES ÉNIGMES

CHAPITRE 4 : DU DRAGONNEAU AU VER DE TERRE

Dans le ventre du dragon • page 40

Caroline, Julien, Hélène, Vivianne, Nicole, Luc, Katherine, William, Fabien, Béatrice, Didier, Isabelle, Guillaume, Maude, Sophie, Yannick, Rose, Olivier, Xavier, Evelyne, Zacharie, Philippe, Tristan, Aurélie, Quentin, Ursule

Le nom du personnage est Drago Malefoy.

Ga ga • page 41

Les premiers mots • page 42

Il est l'heure d'aller au lit.

Fais attention, bébé ! • page 42

Le mot « feu » apparaît 11 fois.

SOLUTIONS DES ÉNIGMES

Alphadragon • page 43

Hibou — Montgolfière — Oie — Maison — Igloo — Reine — Fenêtre — Parapluie — Ballon — Échelle — Zèbre — Serpent — Grenouille — Yack — Roi — Chien — Vase — Lapin — Corde à sauter — Chat — Tortue — Fourmi — Œuf — Nid — Souris

Jeunes amoureux • page 45

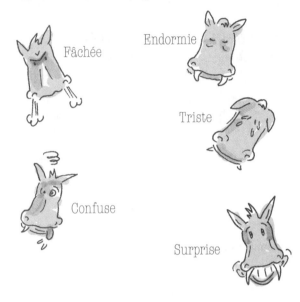

Fâchée — Endormie — Triste — Confuse — Surprise

Adolescents turbulents • page 44

JE SAUVERAI TON VILLAGE,
SI TU ME DONNES DU CHOCOLAT.

Ailes de dragon • page 46

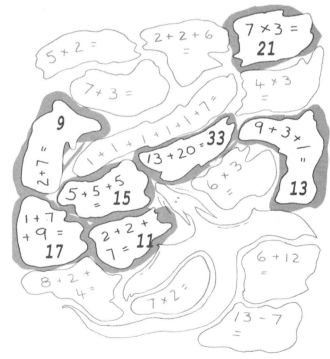

SOLUTIONS DES ÉNIGMES

Dessins de dragons • page 47

L'estomac est la partie vulnérable du corps d'un dragon.

C'est écrit dans le ciel • page 48

		¹C	H	ªA	N	C	E	
				C				
	ᵇC			T				
²A	R	T	I	S	ᶜT	E
	É			F		A		
	A					L		
	T			³B	I	E	N
	I					N		
⁴V	I	F				T		

HORIZONTALEMENT
1. Chance
2. Artiste
3. Bien
4. Vif

VERTICALEMENT
a. Actif
b. Créatif
c. Talent

Va, dragon, va! • page 49

Elle nous donne du lait VA<u>CHE</u>

Il se promène à dos de cheval CAVA<u>LIER</u>

Un nom de fille VA<u>NESSA</u> ou VA<u>LÉRIE</u>

On y met des fleurs VA<u>SE</u>

Quand on boit un liquide, on l' A<u>VALE</u>

Beaucoup, beaucoup de bruit VA<u>CARME</u>

Une piqûre pour te protéger contre une maladie VA<u>CCIN</u>

Le contraire d'après AVA<u>NT</u>

De folles couronnes • page 50

125

SOLUTIONS DES ÉNIGMES

CHAPITRE 5 : DRAGON À CINQ TÊTES CHERCHE PARTENAIRE

Le dragon détective • page 52

L'incantation du dragon • page 54

Voici certains mots que l'on peut composer à partir de « BEN DRAGON ».

rage	nage	non
bar	rang	radon
garde	range	barde
orage	grand	badge
gare	grande	bond

Des canots dragons • page 54

Il y a 14 écailles sur la tête de ce dragon.

Ta voix intérieure • page 53

```
J  E  V  O  U  S  P  E  R  I
E  E  M  M  M  E  R  C  C  C
V  O  V  O  S  P  R  I  E  P
O  M  M  O  O  M  E  R  C  I
J  E  V  O  U  S  S  P  R  C
E  R  C  C  U  S  P  R  I  E
V  I  J  E  V  O  P  R  M  E
O  I  C  C  S  S  U  R  C  I
U  C  R  M  E  R  C  C  I  C
M  E  R  I  I  C  I  E  R  E
E  M  E  V  O  J  E  V  O  S
R  R  C  C  I  S  E  R  C  I
```

SOLUTIONS DES ÉNIGMES

Vêtue comme un dragon • page 55

Les habits qu'elle porte comprennent tous la lettre U.

Un secret chanté • page 56

Je peux souffler le feu.
Et je volerai bien haut
dans les cieux.
Dès que je me rendrai
jusqu'à l'autre pieu!

Le souffle du dragon • page 57

Joyeux anniversaire, dragon! • page 57

1. « Bonne » est mal épelé.
2. Il y a sept chandelles sur le gâteau.
3. Il y a des glaçons dans la fenêtre alors que
   l'anniversaire a lieu en été.
4. Le nom du dragon est Jack et non Joey.
5. Il est midi et le soleil se couche.
6. Le chat aboie.

Le miroir magique • page 58

1. L'arbre est différent.
2. Le soleil est manquant.
3. La troisième bannière est différente.
4. Le dernier cercle situé sur la corniche au-dessus de la
   troisième bannière est colorié.
5. La personne qui épie au coin de l'immeuble a perdu sa couronne.
6. Les poignées de porte sont à l'envers.
7. La dernière marche de l'escalier est manquante.
8. Il manque un cercle sur le chandelier.
9. Le lion du tableau n'a pas de dents.
10. Il manque un cercle dans le coin du tapis.
11. La dame devant le dragon porte un tablier différent.
12. L'homme devant le dragon porte un chapeau différent.

Un piège malicieux • page 60

SOLUTIONS DES ÉNIGMES

Le dinosaure contre le dragon • page 61

1. Il n'y a pas d'écailles sur le museau du dragon.
2. Le dragon n'a pas de langue.
3. Une partie de l'aile du dragon est manquante.
4. La queue du dragon est moins longue.
5. L'œil du dinosaure est différent.
6. Le dinosaure a une dent en moins.
7. La langue du dinosaure a changé de couleur.
8. Il manque une bande blanche sur la queue du dinosaure.
9. L'un des pieds du dinosaure a une griffe en moins.

Le repaire feuillu • page 62

Il y a 20 feuilles sur le dragon.

CHAPITRE 6 : OS DE DRAGON

Fossiles ou dragons ? • page 64

adrpttéyocle = ptérodactyle

Sssserpent • page 65

SOLUTIONS DES ÉNIGMES

Un croco, croco, crocodile • page 66

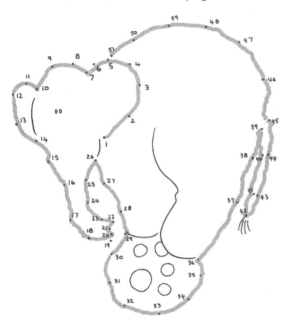

Petites et grandes libellules • page 68

FÊTE DE DRAGONS CE SOIR !

Un dragon à la mer • page 70

Tiens le livre à l'envers et place-le devant un miroir pour lire son message.

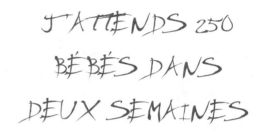

J'ATTENDS 250 BÉBÉS DANS DEUX SEMAINES

Il suffit d'y croire • page 70

NOUS EXISTONS. IL SUFFIT D'Y CROIRE !

Là-haut dans le ciel • page 67

Ils contiennent tous des lettres du mot « comète ».

Romain

Dôme

Bombe

Tombe

RIP

Domicile

Vroom

Le bon chemin • page 71

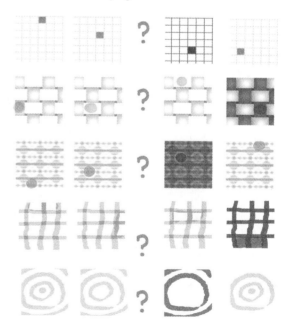

SOLUTIONS DES ÉNIGMES

Monstre manquant • page 72

En chair et en os • page 73

Bing, bang, boum ! • page 74

SOLUTIONS DES ÉNIGMES

CHAPITRE 7 : LE DRAGON LE PLUS COOL ? À TOI DE DÉCIDER !

C'est un oiseau ! Non, c'est un dragon. • page 76

Serpent
Cracheur de feu
Komodo
Typhon

Il n'y a de fumée... • page 77

Bouffée de chaleur • page 78

RAGOÛT

Un serpent intelligent • page 79

10, 5, 22, 15, 21, 19, 16, 18, 9, 5
En remplaçant les numéros par des lettres,
tu obtiendras la réponse : Je vous prie

Dragon magique • page 80

Des dragons dansent dehors
Ma maman mange mon melon
Les lutins lisent leurs livres

Sans queue ni tête • page 81

Devinette • page 81

K
verre
ne
CAVERNE

Des plus grands... • page 82

SOLUTIONS DES ÉNIGMES

... aux plus petits • page 83

Bang! Bang! • page 84

Parties d'un tout • page 84

Avion
Violon
Violette

Cheveux
Cheval
Vache

Balle
Ballon
Verbal

Automobile
Automatique
Autobus

Libellule
Belle
Poubelle

Mode du jour • page 85

Un chevalier combattif • page 86

 + ve et   brave et

 + le chevalier   habile chevalier

Prends ton +  prends ton chapeau

Sors la tête du ☀🔥 et passe voir la 🧙
Sors la tête du sable et passe voir la sorcière

Ne 🧒 pas dans le vide et 👂 bien les signes

**Ne tombe pas dans le vide et
écoute bien les signes**

SOLUTIONS DES ÉNIGMES

CHAPITRE 8 : JOLIE CAVERNE ! TU L'AS DÉCORÉE TOI-MÊME ?

Le jardin des dragonneaux • page 88

Une maison chanceuse • page 90

Il y a 11 dragons

Ma caverne, ma maison • page 89

Magma
Avocat
Tamia
Avion
Nanti
Idée
Écolier
Rose
Ennui

MA TANIÈRE

Le culte des dragons • page 91

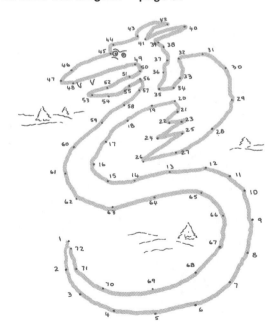

SOLUTIONS DES ÉNIGMES

Dîner de pierres • page 92

MAISON

MONTAGNE

POLICE MONTÉE

FONTAINE

MEUBLE
DE SALON

GARÇON

RONGEUR

Déco-dragon • page 94

Il y a 25 feuilles
sur la lampe.

Chaos dans les cavernes • page 94

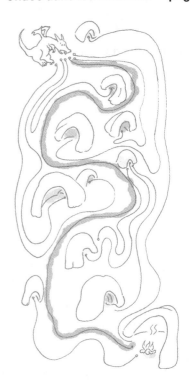

Cours de dragon 101 • page 93

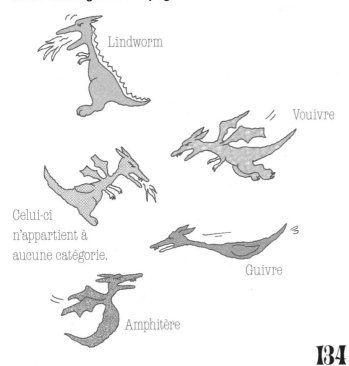

Lindworm

Vouivre

Celui-ci
n'appartient à
aucune catégorie.

Guivre

Amphitère

SOLUTIONS DES ÉNIGMES

Le pâté du dragon • page 95

Soupe aux sirènes

Qui dort dîne ! • page 96

Une question de quartier • page 98

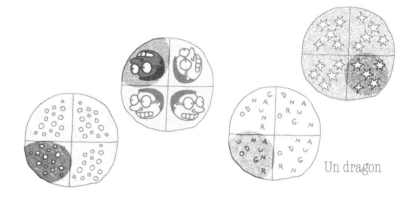

Un dragon

SOLUTIONS DES ÉNIGMES

La barrière du dragon • page 100

Voici certains mots que tu peux former avec
les lettres de « barrière du dragon » :

arrière	rude
barre	dur
gardien	dire
garde	air
gare	braire
bague	druide
rare	aide
rage	raide
rouge	nager
bouger	narguer
bouder	arguer
grandir	nuage
rire	ange
ride	genou

Dragon espiègle • page 101

gargantua = gros mangeur
omnivore = mange des aliments variés
fantasmagorique = fabuleux
perfide = trompeur
macrocéphale = qui a une grosse tête

Des mots géants • page 102

énorme
gigantesque
massif
monstre
colossal
immense

Ra ra ra! • page 102

TRACE

CRAQUELIN

PÂTURAGE

CRABE

PIRATE

CARRÉ

SOLUTIONS DES ÉNIGMES

Discussion de dragons • page 103

PARTI CHERCHER DES SACS À ORDURES

Que l'ordre règne! • page 104

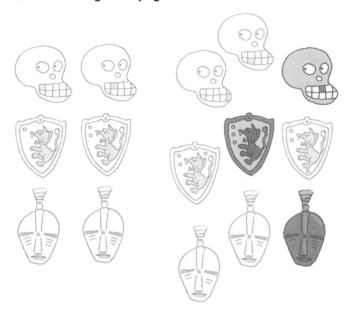

Un précieux butin • page 105

La magie du dragon • page 106

fUmée
flammeS
griffeS
Rugissement   SOURIS
gueule
magIe
sOrtilège

Férocement faux • page 107

Coup de chapeau • page 108

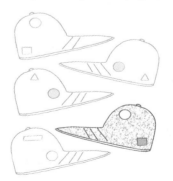

SOLUTIONS DES ÉNIGMES

Grand bébé • page 110

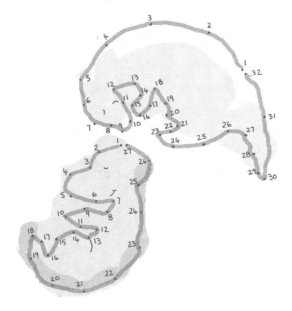

Petit coco • page 111

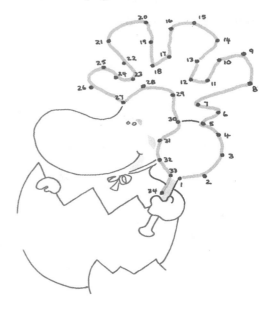

Grand pied! • page 112

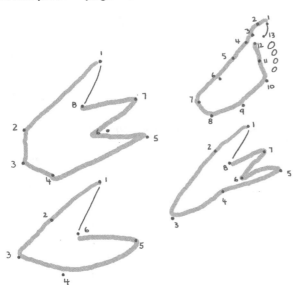

À ton crayon! • page 113